D0717062

LA TOUR DES NUAGES

Métalikus.
Le treizième signe du Zodiaque.
Flammes sur Titan (traduit en portugais).
Tempête sur Goxxi.
Le voleur de rêves.
Plus loin qu'Orion.
Les cosmatelots de Lupus.
Et la comète passa.
Un astronef nommé Péril.
Un de la Galaxie.
Moissons du futur.
La planète aux chimères.
Quand le ciel s'embrase.
Les pêcheurs d'étoiles.
L'empereur de métal.
Robinson du Néant.
S.O.S. Ici nulle part !
L'étoile du silence.
La jungle de fer.
Vertige cosmique.
L'iceberg rouge.
L'espace d'un éclair.
Les Sub-Terrestres.
Où finissent les étoiles ?
Maelström de Kjor.
Il est minuit à l'univers.
La lumière d'ombre.
Astres enchaînés.
Les Incréés.
Miroirs d'univers.
Cap sur la Terre.
Les diablesses de Qiwân.

Dans la collection « Angoisse » :

Crucifie le hibou.
Batelier de la nuit (traduit en espagnol).
Le marchand de cauchemars.
Créature des Ténèbres.
Chantespectre.
L'ombre du vampire (traduit en allemand).

Mandragore (traduit en italien).
Lucifera.
Le miroir.
La prison de chair.
Le manchot (traduit en allemand et en flamand).
Le moulin des damnés.
La mygale (traduit en allemand).
Moi, vampire (traduit en espagnol, allemand, flamand et néerlandais).
Les jardins de la nuit (traduit en néerlandais).
La Maléficio (traduit en néerlandais).
Ici, le bourreau.
L'aquarium de sang (traduit en allemand).
En lettres de feu.
Amazone de la mort (traduit en allemand).
Méphista.
Méphista contre Méphista.
Méphista et le clown écarlate.
Méphista et la lanterne des morts.
Méphista et la croix sanglante.
Danse macabre pour Méphista.
Méphista et la mort caressante (traduit en allemand).
Méphista et le chasseur maudit.
Méphista et le guignol noir.
Méphista belle à faire peur.
Méphista contre l'homme de feu.
Ton sang, Méphista !
Méphista et le chien Hurlamor.

Dans la collection « Grands Romans » :

Par le fer et la magie (traduit en tchèque).
Le carnaval de Satan (traduit en néerlandais).

MAURICE LIMAT

LA TOUR DES NUAGES

ROMAN

COLLECTION « ANTICIPATION »

EDITIONS FLEUVE NOIR
69, boulevard Saint-Marcel - PARIS-XIIIe

© 1977 EDITIONS « FLEUVE NOIR », PARIS.

Reproduction et traduction, même partielles, interdites. Tous droits réservés pour tous pays, y compris l'U.R.S.S. et les pays scandinaves.

ISBN 2-265-00424-3

A Patrick, naturellement. Son petit père.

M.L.

PREMIÈRE PARTIE

PATRICK DU POISSON AUSTRAL

I

Je ne peux pas dormir.

L'objet est là. Près de mon lit. A portée de main. Pour l'instant, il n'est rien qu'une chose inerte.

Inerte mais inquiétante.

Fascinant ce... cette chose. Quand je l'ai vue, au marché aux puces, j'en ai eu envie tout de suite. J'étais irrésistiblement attiré. Il me semblait que ce cadran gravé de signes incompréhensibles évoquait pour moi des souvenirs très lointains, ensevelis au fond de ma mémoire, des souvenirs à la fois tendres et passionnés, douloureux peut-être. Mais l'homme est toujours égal à lui-même et il garde la nostalgie du passé, ce passé fût-il cruel.

Idiot, ce que je dis là. Quel rapport entre moi et l'objet ?

Un cadran. Une aiguille. Des signes. Une boussole me dira-t-on. Oui, on peut admettre que ça évoque une boussole. Mais une boussole dont nul ne serait capable de se servir. Fondue dans un métal indéterminé. Munie d'une curieuse aiguille qui oscille par instants et c'est le plus curieux, qui irradie à ces moments-là. Quant aux signes, j'ai eu beau consulter les dictionnaires interplanétaires où tout est consigné graphiquement sur les diverses écritures et systèmes numériques utilisés dans les planètes connues de la Galaxie, il n'y a rien qui leur ressemble, même de loin.

Disons que c'est une boussole. Que j'ai eu le caprice de l'acheter à ce vieil antiquaire, dans ce déballage, pour quelques dizaines de comètes. Ce qui est assez cher pour ma bourse de petit fonctionnaire de la tour des nuages. Mais j'en avais envie, sans trop savoir pourquoi.

Et puis, il y a eu ces phénomènes, dès le premier soir.

Des cauchemars ? Des hallucinations ? C'est ce que j'ai cru tout d'abord.

Pourtant, je suis assez sobre et si je ne crache pas sur les vieux whiskies de notre vieille planète patrie, si j'apprécie le champagne entre autres, il y a bien longtemps que je n'ai succombé aux traîtrises de Bacchus.

Je ne me suis jamais drogué, même dans les plus grands chagrins. Mes géniteurs étaient gens équilibrés. Je ne vais pas continuer comme ça. J'ai assez dit que si je voyais quelque chose dans la nuit, à l'état de veille, c'est que ce quelque chose existe réellement.

Même s'il s'agit de projections, phantasmes, films ou autres manifestations d'ordre visuel.

J'ai vu la nef. Cela ressemblait à un astro-nef mais je savais qu'il s'agissait d'une nef. Absurde, n'est-ce pas ? Pourtant, je savais.

Ce qui corrobore mon impression en voyant la... appelons-la la boussole. Je savais. Je me souvenais.

Trois nuits de suite les visions. Ce vaisseau spatial d'un type absolument inconnu. Ces êtres. La boussole. Oui, oui, elle fait partie des visions alors qu'elle est là, près de moi, par-faitement tangible.

Et « elle »...

Elle, la seule femme de l'équipage de la nef. Elle que je crois reconnaître.

J'ai pris des somnifères. Je me suis couché à peu près à jeun. J'ai fait un peu d'exercice, de marche, de culture physique avant de me cou-cher. Mais je dormais mal et — cela je peux le jurer — je voyais, non pas quand je dormais si peu que ce fût, mais bel et bien alors que je me réveillais. Les images apparaissaient dans mon studio.

J'ai consulté un vieil ami de ma famille, tou-bib. Il m'a regardé avec un peu d'indulgence, ordonné des calmants. On tombait dans le lieu

commun et j'ai préféré ne pas insister, de peur
de passer pour un dingue.

C'est hier soir que tout a explosé en moi.

J'étais en train de regarder les informations.

Le lot habituel du quotidien : conflits, accidents, forfaits divers, et les éternelles déclarations politiques qui prétendent tout arranger.
Il paraît qu'en ce moment, il y a une guerre qui
couve entre deux planètes voisines de l'étoile
de Barnard. Les diplomates inter-astres se sont
réunis pour discuter pendant que, bien entendu, les laboratoires et les casernes sont déjà
prêts pour mettre en action les moyens les plus
fantastiques qui leur permettront de détruire
le plus possible de leurs frères en humanité.

Tout à coup, après les résultats sportifs, j'ai
eu froid au cœur.

L'antiquaire. Je l'ai reconnu. Le vieil antiquaire du marché aux puces, celui qui m'a
vendu la boussole, cette boussole qui ne sert
à rien.

Le pauvre homme ! On l'interviewait après
sa triste aventure. Oh ! c'est assez banal en
soi. Il a été, sinon attaqué, du moins menacé,
quelque peu molesté, par trois individus d'un
type certainement extraterrestre, d'après ses
déclarations.

Que lui voulaient-ils ? Non pas de l'argent,
mais ils recherchaient un certain objet d'origine obscure, auquel ils tenaient tout particulièrement, lequel objet, d'après leurs renseignements, devait se trouver entre les mains
de ce brave commerçant en vieilleries.

La description de l'objet ? Les cheveux se dressaient sur ma tête...

Parce qu'il ne savait pas trop lui-même de quoi il s'agissait. Cela arrive assez souvent chez les ferrailleurs, les négociants et ses confrères. Outre tout ce qui provient de la Terre, il y a, depuis quelques décennies, une foule de choses hétéroclites en plus ou moins bon état, fruits des artisanats des divers mondes avec lesquels notre planète a établi des relations.

Les collectionneurs en sont friands, et très fréquemment le marchand lui-même est bien incapable de dire de quoi il s'agit, et à quoi cela peut bien servir.

N'importe ! Il suffit que cela vienne du Centaure ou du Sagittaire pour que les amateurs soient légion.

La télé, en reliefcolor, projetait ces personnages jusque chez moi. L'image et le son ont atteint un tel point de perfection que c'est la vie même et qu'on assiste à l'émission. Mieux, on y participe.

Moi, je revoyais le bonhomme...

La gracieuse speakerine lui a demandé comment cela s'est terminé et il nous a expliqué qu'il a été sauvé par l'intervention d'un quatrième personnage, lui aussi certainement pas né sur la Terre. Très bel homme d'une trentaine d'années, élégant, portant barbe noire soigneusement taillée. Un humanoïde venant peut-être de Wolf 424. En tout cas, son apparition a provoqué une sorte de panique larvée

chez les tortionnaires. Car c'étaient bien des
tortionnaires et ils avaient tiré des couteaux
thermiques à lame ondionique, ces armes mi-
nuscules qui projettent ce jet aussi dur que
le métal, coupant, tranchant, déchirant et brûlant par surcroît.

Ils allaient en larder l'antiquaire. Mais l'homme à la barbe a tancé vertement les misérables.
En quelle langue ? Certainement pas selon un
idiome terrestre.

Il les a proprement jetés dehors et, avant
de partir, a rassuré le malheureux.

Il lui a promis que jamais plus il ne serait
importuné, le priant seulement de lui dire ce
qu'il était advenu de la « chose ». Naturellement, le commerçant, effaré, encore tremblant,
a répété ce qu'il avait tenté de soutenir à ses
assaillants, que l'objet avait été vendu deux ou
trois jours plus tôt à un client de passage qu'il
ne connaissait pas, dont il ne savait rien...

Ce client de passage... J'en ai des sueurs froi-
des !

Le bel inconnu a rasséréné l'antiquaire, lui a
présenté ses excuses, affirmé que les coupables seraient châtiés et s'est retiré en lui donnant l'assurance qu'il ne risquerait rien dans
l'avenir. Toutefois, il reviendrait de temps à
autre, afin de savoir si, par hasard, le client
n'avait pas reparu, afin d'établir un contact.

Et puis les actualités planétaires ont délaissé
cet incident, mineur en soi, seulement mis en
valeur parce qu'il s'agissait d'une agression

commise par des extraterrestres, ce qui est toujours très mauvais pour l'opinion publique.

Je sais maintenant ce que je risque.

Les trois tortionnaires... ou ce charmant garçon ?

Ils cherchent cette boussole incompréhensible. Ils ne reculeront devant rien pour se l'approprier.

Tout porte à croire qu'ils sont venus spécialement d'une autre planète afin de mettre la main dessus, ce qui démontre sans grandes difficultés que l'enjeu est considérable.

Et l'objet, je le possède.

Il est là, à portée de main.

Et les spectres envahissent encore mon studio. Quel film ! Quel spectacle !

Parce que je vois des cités inconnues, des engins fantastiques, des peuples dont je n'ai aucune idée. Parfois, cependant, des images correspondant à des scènes que je crois pouvoir situer dans l'histoire de ma planète patrie la Terre.

Mais que d'autres visions qui m'échappent, encore qu'elles soient séduisantes !

Tout cela va, vient, évolue, bouge terriblement.

Puis il y a « elle ».

Cette femme, jeune, belle, dont je ne sais rien. Sinon que je ne puis affirmer qu'il s'agisse d'une inconnue.

Je ne sais pas... mais son apparition remue en moi des souvenirs confus, voluptueux ou tragiques, tendres ou cruels, toujours fascinants.

Réminiscence d'un mystérieux passé ?... Je ne saurais analyser...

Naturellement, je la revois dans la nef, enfin cet astronef qui l'emmène avec un équipage. Des hommes d'une race ignorée, portant des tenues qui me sont étrangères.

Seulement, ce qui caractérise cette image, c'est que, dans le tumulte, dans le remous général des visions suscitées à partir de la boussole — comment croirais-je autre chose ? — cette femme, ce vaisseau, ces hommes, sont rigoureusement statiques.

Figés. Statufiés. Des êtres immobiles dans une nef immobile.

Pourquoi ? Comment échappent-ils à la règle générale ?

J'ai l'impression qu'ils sont bloqués à la fois dans le temps et dans l'espace.

Reflets d'êtres morts, disparus depuis longtemps, très longtemps ? Je ne le crois pas. J'ai l'impression très nette qu'ils vivent. Eux, justement en raison de cette étrange stagnation alors que, j'en ai la certitude, une grande part de ceux qui m'apparaissent dans ce cinéma fantastique appartiennent à un passé absolu et ne font plus partie de notre cosmos. Ce ne sont que des fantômes, alors que ceux de la nef immobile demeurent dans la vie.

Est-ce que je suis fou ? Est-ce que je suis en passe de perdre la raison ?

Non, je me crois encore lucide. C'est l'objet

mystérieux qui dégage ces ondes d'une nature exceptionnelle, lesquelles projettent les reflets de mondes proches ou lointains. Reflets du passé, sans doute aussi du présent et, je n'ose en douter, également de l'avenir.

Je me retourne dans mon lit. Une idée vient, lancinante : si je me mettais en rapport avec l'antiquaire ?

Il n'est pas impossible qu'une enquête de police ne soit déjà déclenchée, ne serait-ce que par routine. On va rechercher l'acheteur de la chose. On va « me » rechercher.

Or, si les autorités de la Terre s'en mêlent, il y a aussi les « autres ».

Ceux qui n'ont pas hésité à molester le vieux commerçant. Et cet homme à l'apparence exceptionnelle qui, lui, a reproché leur attitude aux tortionnaires, et semble avoir autant de dignité que d'autorité.

Si je pouvais le connaître, le rencontrer...

Mais il est bien évident que ce qui l'intéresse c'est cette boussole, cette boussole qui ne conduit nulle part... A moins que...

De surprenantes hypothèses se présentent à moi.

Mais je tiens terriblement à l'objet. Il m'a attiré irrésistiblement et maintenant je sais que je lui dois ces visions hors monde. Je ne voudrais m'en séparer à aucun prix.

Ce qui, peut-être, met ma sécurité en cause. Je crois, j'ai la certitude, que d'ores et déjà je cours de grands dangers.

Et puis, il y a mon métier. Ma situation.

Je n'ai parlé à personne des spectres qui hantent mon studio dès que la nuit vient. Pas même à Nathalie, une fille avec laquelle j'entretiens des relations qui pour être intermittentes n'en sont pas moins assez tendres.

Nul ne sait donc que je possède la boussole. Sauf l'antiquaire.

Je crains de passer pour un dément. Ce qui mettrait ma réputation en mauvaise posture.

Pour mon emploi, un équilibre rigoureux est indispensable. J'ai passé un certain nombre de tests sévères pour obtenir cette place, à laquelle je tiens car j'aime sérieusement ce que je fais.

L'aube, déjà... Je n'ai pas fermé l'œil.

Il va être l'heure de me lever. Les visions se sont estompées, mais elles demeurent en moi.

Un tourbillon de films interférés, au centre duquel apparaît, c'est bref comme un flash, la nef immobile.

Son visage à elle...

Il est temps que je me lève. Un café, une douche glacée, et en route pour la tour des nuages.

II

L'ingénieur Werner était soucieux. Profondément soucieux.

Penché sur l'écran de radar, il scrutait l'immensité entourant la tour des nuages et ses deux assesseurs, silencieux, attendaient sa réaction.

L'ingénieur en chef de la haute construction qui servait de tour de contrôle pour les mouvements d'astronefs releva enfin la tête.

— Vous aviez raison, Evrard, on jurerait des hommes...

Un instant encore, il resta muet et les deux préposés au service de surveillance voyaient son visage tourmenté. Cet homme si posé, si conscient des réalités, se heurtait à l'incompréhensible.

Evrard osa dire :

— Que décidez-vous, monsieur ? Quels sont vos ordres ?

— Continuez l'observation. Et préparez le kinescope. Il ne s'agit plus seulement d'observer, mais de filmer. Ce que nous découvrons est trop exceptionnel pour que nous nous contentions d'un rapport... Un film sera plus convaincant !

Il eut une sorte de ricanement.

— Sinon, en haut lieu, on nous taxerait d'illuminés... Ces messieurs de la haute autorité se gausseraient de nos relations écrites. On dirait encore que la tour détraque son personnel... Mathias, ne perdez pas de temps !

Evrard s'assit devant l'écran et reprit l'observation visuelle. Mathias, son acolyte, avait acquiescé muettement à l'ordre et se hâtait de sortir la caméra, de tout mettre en œuvre pour filmer les images étranges apparaissant sur le radar.

— Eh bien, lança Werner au bout d'un instant, qu'est-ce qu'il y a ? Vous êtes troublé à ce point ? Vous me semblez bien maladroit, aujourd'hui !...

Guy Mathias s'excusa gauchement. Ni l'ingénieur en chef ni Evrard n'avaient remarqué que, depuis un bon moment, il était blême, semblait mal à l'aise, et avait paru bouleversé alors que le chef de service confirmait l'observation insolite des deux préposés.

Ils se trouvaient, tous les trois, dans le poste spécial de télécommunications et d'observation stratosphéro-spatial de la tour des nuages.

La géante construction s'élevait au large de

la côte euro-française, sur une île artificielle, à un peu plus d'un millier de kilomètres.

Hypertour Eiffel, elle haussait audacieusement à mille mètres, un cockpit géant, l'ensemble constituant l'élément majeur de contrôle, guidant les vaisseaux spatiaux, soit au départ des astrodromes européens, soit à leur retour des diverses planètes entretenant le contact avec la Terre.

Un personnel strictement sélectionné vivait et travaillait là, presque en vase clos. Selon le comportement de chacun, la relève avait lieu tous les mois, ou tous les trois ou six mois. Modernes gardiens de phare, ils étaient près d'une centaine, dont un faible effectif féminin. Ils disposaient d'un fantastique équipement. Tous les moyens les plus perfectionnés étaient à leur disposition et la tour, appelée bientôt « tour des nuages » par ses occupants, était rapidement devenue populaire.

Avant son élévation, les accidents étaient assez fréquents. Surtout en ce qui concernait les retours, les navires de l'espace étant souvent victimes des perturbations atmosphériques après les longues randonnées dans le grand vide, ce qui provoquait de brusques et dangereux changements d'ambiance agissant terriblement sur le psychique des équipages.

Le rôle de la tour des nuages était en quelque sorte de pallier ces défaillances, plus humaines que mécaniques. Un astronef franchissant la ceinture de Van Allen se mettait en contact avec elle. A partir de ce moment, c'était

l'état-major de ce puissant moyen de contrôle
qui prenait en main la destinée des cosmonautes. On les guidait, on leur donnait les instructions nécessaires, on les orientait vers l'astro-
drome de leur choix ou, le cas échéant, en période de tempête, de dépression océanique, vers
un astroport plus aisé d'accès, provisoirement
plus accueillant.

C'était donc un organisme audacieusement
jeté en plein ciel, le plus souvent perdu dans la
nuée, ce qui lui avait valu son surnom, et dont
l'utilité était considérable. Ce qui exigeait une
compétence, une discipline parfaites de la part
de ce qu'on nommait plaisamment l'équipage.

Guy Mathias avait été le premier à découvrir,
sur l'écran, des formes mouvantes qui, de toute
évidence, étaient des silhouettes humaines. Il
était demeuré coi, se sentant pâlir. Jamais,
depuis que la tour existait, un observateur
n'avait fait de rapport sur des gens se prome-
nant à un kilomètre en hauteur au-dessus de
l'Atlantique, dans la masse nuageuse.

Son coéquipier, Jack Evrard, avait constaté
son trouble et s'était empressé de se pencher
auprès de lui. A son tour, il avait vu. Et c'était
lui qui avait aussitôt décidé d'alerter leur supérieur direct, l'ingénieur en chef Werner, lequel
avait partagé leur surprise.

Des hommes volants ? Certes, il en existait.
Seulement, ils se déplaçaient généralement munis d'un appareil particulier, léger mais effi-
cace et qui, de toute façon, était très décelable
sur les écrans de radar. Un homme en combi-

naison spatiale, cela existait également. A cela
près qu'il n'évoluait jamais que dans le grand
vide inter-astres, et qu'il lui eût été difficile
d'accomplir ses performances en ce ciel assez
tourmenté qui surplombe l'immense océan.

Les trois hommes, pendant une heure encore, distinguèrent les mystérieux personnages.
Fugaces, à peine saisissables au regard, ils passaient, à une distance assez appréciable de la
tour.

Mais la caméra filmait, filmait sans relâche.

Dès qu'il fut certain d'avoir une preuve tangible sur pellicule, de ce qu'il se refusait à
considérer comme une hallucination collective,
l'ingénieur Werner en référa au commandant
de la tour.

Et là-haut, dans cette immense cabine où
vivaient cent humains surélevés sur l'Atlantique et coupés du monde planétaire, sur avis
de l'ingénieur en chef, le commandant déclen-
cha l'alerte.

Et tout cela est ma faute !

La tour des nuages est en état d'alerte. Un
véritable commando a été lancé. Ce sont des
hommes volants. Non des fantômes, mais des
soldats expérimentés, munis du dispositif spécial qui permet, par des ailes courtes et vibratiles, la sustentation et, après un entraînement
sérieux, une autonomie parfaite antigravitation.

Ils sont dix, armés jusqu'aux dents, qui tournent autour de nous, qui affrontent la tempête. Parce que, à cette altitude, surplombant l'océan, les vents demeurent forts en permanence et, comme par hasard, une zone de dépression glisse lentement vers l'Europe, dépression dont nous faisons déjà les frais.

Sous le commandement d'un officier volant, ces gars, dix de mes bons copains, sont à la recherche des mystérieux personnages qui se sont manifestés sur l'écran.

Mais ils n'existent pas, ces assaillants, ces ennemis inconnus ! Je le sais ! Ce ne sont que des fantaisies engendrées par la boussole.

La boussole que j'ai amenée, qui est là, dans ma cantine. Parce que je n'ose la laisser au studio, à Paris-sur-Terre, chez moi. Je ne veux plus m'en séparer.

Je sais trop que les agresseurs de l'antiquaire la recherchent, et qu'ils seront, à plus ou moins longue échéance, sur ma trace.

Pourtant, un problème se pose.

Logiquement, puisqu'il ne s'agit que de phantasmes, d'hallucinations, ces silhouettes *ne devraient pas* s'inscrire sur un écran radar.

Or, je les y ai vues. J'aurais gardé l'observation pour moi si j'avais été solitaire au poste. Mais Evrard était là et il a bien fallu alerter Werner.

En ce moment, le commando est saisi dans les tourbillons et je sais qu'ils ont, les uns et les autres, les plus grandes difficultés à évoluer avec un temps pareil. Les accidents sont toujours à craindre. En dépit de la perfection des appareils, un homme volant demeure bien fragile lorsque le vent souffle à plus de cent à l'heure à pareille hauteur.

Que dois-je faire ?

Werner ?

Un homme. Un vrai. Un chef sévère mais compréhensif. Un de ces êtres qui mettent le devoir par-dessus tout, sans appartenir à la race de ces militaires bornés incapables de faire la synthèse des choses.

Oui, je dois me confier — mieux — me confesser à lui.

Tant pis ! J'avouerai que je possède la boussole et que c'est ce maudit engin qui suscite de telles visions. Jusqu'à présent, je ne sais trop par quelle pudeur je n'ai pas osé dire la vérité. Pourtant, ce n'est pas un crime.

Mais un certain tumulte me parvient. C'est mon heure de repos. Inutile de dire que je ne dors guère, pas plus que chez moi. Je craignais pour ma raison et si cela continue, je sens qu'elle va sombrer.

Je sors de ma petite cabine et vais aux renseignements.

J'apprends de Waïla, la secrétaire du commandant de la tour, ce qui vient de se passer. Une jolie fille, Waïla... S'il n'y avait pas Nathalie... Mais est-ce le moment de penser à ces babioles ?

Elle en a des larmes dans les yeux. Elle m'apprend l'accident. Un de nos hommes volants, plaqué par une rafale furieuse, s'est écrasé contre la paroi de la tour. On l'a vu tomber, comme un oiseau blessé. Et c'est bien l'image qui convient car ses ailes se sont immanquablement fracassées, et alors, la chute...

Trois des membres du commando ont plongé, en piqué, jusqu'à la surface des flots. Ils le cherchent mais, par walkies-talkies, ils indiquent déjà à leur chef direct qu'ils ne l'aperçoivent même plus...

Tout cela parce qu'on a lancé le commando à la recherche d'agresseurs imaginaires...

Moi, Guy Mathias, je suis horrifié.

Je suis coupable. Il faut en finir.

Je vais tout dire à l'ingénieur en chef Werner.

— Vous êtes complètement fou, mon petit Mathias !

Werner a écouté posément le récit de son subordonné. Il a examiné l'objet.

Guy Mathias avait tout dit. Tout. Ce qui était advenu à partir du moment où il s'était offert cette curieuse chose, qui lui avait coûté très cher, caprice irraisonné dont il n'avait même pas mesuré la portée.

Et maintenant, il sentait une sueur froide le long de son échine ; parce que, déjà, il comprenait que le réaliste Werner ne le prenait pas au sérieux.

L'ingénieur tournait et retournait la boussole (si c'était vraiment une boussole) et rien ne se produisait. Il y avait bien cette aiguille qui oscillait au rythme des mouvements imprimés à l'objet, mais l'irradiation ne se produisait pas. Et aucun fantôme ne se manifestait.

Ce n'était qu'un élément analogue à tous ces éléments plus ou moins bien déterminés qui encombrent les boutiques depuis qu'il y a des échanges entre les mondes et se mêlent aux innombrables vestiges de la civilisation terrestre pour le plus grand plaisir des chineurs.

— Monsieur Werner, je vous jure...

— Mais oui, mon petit.

La voix bien timbrée s'était faite douce, apaisante. Guy avait froid au cœur. Son supérieur lui parlait comme on parle à un enfant, à un animal familier.

Ou à un fou.

— Monsieur Werner, je vous le jure... Le coupable, c'est moi. Je n'aurais jamais dû amener ce truc à la tour... Je n'aurais même jamais dû l'acheter... Je crois que le mieux est de le jeter, dans l'océan... Au fond de la mer, il n'aura sans doute plus d'effet et...

— Allons, assez de bêtises ! Vous voyez bien qu'il s'agit seulement d'un de ces instruments inventés par je ne sais quel peuple planétaire et dont nous continuerons sans doute à ignorer l'usage... Sans importance ! Et n'allez pas vous mettre en tête des idées ridicules... Ces images sur le radar étaient bien réelles et correspondaient nécessairement à une vérité. Qui sont ces hommes volants ? C'est bien étrange, j'en conviens... Mais notre commando finira bien par découvrir un indice quelconque... Par tous les diables du cosmos ! s'il y a eu des types qui évoluaient en plein ciel, auprès du cockpit de la tour, il est impossible qu'ils se soient évanouis ainsi... Il n'y a aucune île alentour. Nous sommes perdus en plein Atlantique... Pas un navire n'est signalé. Aucun engin aérien non plus. Alors...

— Mais, monsieur, cela confirme mes dires...

Werner coupa la phrase d'un geste de main.

— Il faut vous reposer, Mathias. Je vais demander pour vous une exemption de service. Dormez un bon coup. Demain, vous verrez le docteur Stel...

Il reposa la « boussole » et se dirigea vers la porte.

Avant de sortir, il se retourna, eut un bon sourire.

— Et pas de remords idiots, hein ? Vous n'êtes pour rien dans la triste fin de notre malheureux camarade... Accident de service, voilà tout. Il a été victime de son devoir... Bonne nuit.

Il referma la porte et s'éloigna.

Son sourire — tout de commande — avait disparu.

L'ingénieur passa une main un peu fébrile sur son front que barrait la ride de la contrariété.

— Ce pauvre Mathias... Un bon gars, pourtant ! Et sérieux, avec ça !... On le regrettera dans le service...

Il repartit, secouant la tête.

— Ils ont raison ceux qui disent que le boulot, ici, est inhumain... Ça en fait un de plus au bord de la dépression...

Je suis seul, de nouveau.

Seul dans ma petite cellule, elle-même perdue parmi les sept étages du gigantesque cockpit, ce bloc formidable de quatre-vingts mètres d'arête qui se dresse au-dessus de l'océan, soutenu par une forêt de pylônes au long desquels circulent ascenseurs et monte-charge jusqu'à la plate-forme surplombant le tout, où peuvent aborder tous les jets, hélicos, tous les appareils volants possibles.

Seul avec l'objet.

L'objet qui paraît bien tranquille, qui n'irradie pas, qui ne suscite aucun fantôme.

A croire que j'ai été trahi alors que j'avais besoin de me justifier envers l'ingénieur Werner.

Je n'ose plus y toucher. J'en avais tellement eu envie et voilà que cela me fait horreur.

Je voudrais aussi savoir ce qu'il advient du commando, après la mort de ce brave garçon qui, avec les autres, chassait ces plongeurs du ciel, ces assaillants *qui n'existent pas.*

Je vais boire un verre. C'est défendu d'avoir de l'alcool dans les pièces individuelles, mais j'en garde un petit flacon, à toutes fins utiles.

Une gorgée d'Old Crow. Je ne force pas sur le bourbon, mais, pour une fois...

Et puis, j'ai vraiment besoin de remontant.

On frappe.

Werner qui revient ? Cela m'étonnerait. Ou ce brave Évrard qui vient prendre de mes nouvelles ?

Si c'était seulement Waïla, je me sentirais réconforté.

Je n'ai pas dit « entrez ». J'ai la gorge serrée et j'ai vivement caché mon gobelet.

« Il » entre.

Je ne l'ai jamais vu. Mais je sais que c'est lui.

Très beau gars de trente ans à peine, magnifiquement sanglé dans une sorte de combinaison qui moule sa ligne d'athlète.

J'ai le vertige. Parce que cette tenue était celle des spectres apparus sur l'écran de radar, et dont j'attribuais la vision aux radiations de la boussole.

Un visage aux traits classiques, serti d'une élégante barbe noire. Des cheveux un peu fauves. Un regard brun, franc, net, couleur de sombre agathe.

Cet homme, pourtant, n'est pas de la Terre, j'en ai la conviction.

C'est lui qui est venu au secours de l'antiquaire. Mais c'est lui aussi qui tient absolument à récupérer l'objet que j'ai acquis, que je garde jalousement, et qui a déjà provoqué ici des drames.

Il évoque plus un dieu mythologique qu'un homme, sans doute en raison de son origine. Il poserait assez bien pour une statue de Neptune.

Il avance vers moi, nullement hostile en apparence. Je suis surpris de la bienveillance que je lis dans ses yeux. Il me tend une main élégante, cordiale.

— Bonjour, Guy Mathias... J'imagine que vous savez pourquoi je viens vous rendre visite ?...

III

Pendant un instant, je demeure stupide. Je n'ai jamais eu autant l'impression de me sentir aussi bête.

Je regarde, bouche bée, mon singulier visiteur. Et je me pose la question :

« Est-il réel, vrai, tangible ? Ou bien n'est-ce qu'un de ces spectres dont les radiations de la boussole ont saturé mon entourage, jusqu'à jeter la tour des nuages en état de défense ? »

Tout de suite, je me reprends. Parce qu'il avance, la main tendue.

Il a parlé. Ce n'est pas une illusion, j'ai entendu la phrase qu'il a prononcée. Or, jamais aucun des fantômes qui m'ont été révélés n'a fait entendre le moindre murmure.

Je suis subjugué par cet arrivant. Et c'est peut-être instinctif, peut-être aussi le désir violent de me rendre compte de sa nature, j'accepte la poignée de main.

Tout de suite, mes craintes diminuent. L'étreinte est ferme, solide, sans bavures. Rien de ces mains molles, hésitantes, qui révèlent les caractères faux et inconsistants. Non, un homme vrai, sans l'ombre de perfidie.

Un instant, nous nous regardons en face. Je crois que je me suis laissé aller à sourire. J'ai déjà rencontré des extraterrestres, plus ou moins sympathiques. Mais ni plus ni moins que mes coplanétriotes. Des hommes, des femmes...

— Puis-je voir la... l'objet ?

Je ne me donne pas le ridicule de faire celui qui ne comprend pas. Je saisis la mystérieuse boussole et je la lui tends.

Je n'oublierai jamais son expression en cet instant. Ce qui me prouve que cet individu, qu'il soit né dans mon système solaire ou à quelques millions d'années-lumière, a bien des réactions humaines. Il semble bouleversé, mais de cette émotion heureuse, de cette révélation qui apporte joie, qui gonfle le cœur d'un flux irradiant.

Je vois ses belles mains qui tremblent et, Dieu me pardonne ! on jurerait qu'une larme scintille dans le regard brun clair.

Il relève la tête et je le vois en plein.

— Merci, me dit-il, très doucement. Je n'osais pas croire que je verrais cela un jour...

Alors, je lutte contre la boule qui m'étouffe depuis qu'il est entré. Pour la première fois, je parle :

— Vous... c'est donc bien cela que vous cherchiez ?

Il acquiesce de la tête, avant de dire :

— Si vous saviez ce que cela représente pour nous... Mais vous le saurez, il est nécessaire que vous le sachiez. Parce que vous aussi, Guy Mathias, cela vous concerne directement...

Un temps. Il soupire :

— Pour cela, que d'efforts ! Et que de drames !... Des hommes sont morts pour cette quête... Apprenez que cet instrument est unique... Vous m'entendez bien ? Unique à travers les galaxies... Il a été construit, une fois, dans un but bien précis. Et il a servi... Oh ! oui, son utilité a été vérifiée dans des circonstances fantastiques... *Et ce n'est pas fini*... Mais son inventeur est mort sans avoir livré son secret... Tous ses documents avaient été volés, ou détruits, on ne sait pas ! Depuis... on cherche... On cherche... Parce qu'il faut les sauver... Ceux de la nef... toujours bloqués dans le temps...

Il semble parler pour lui-même plus que pour moi et doit en avoir conscience, car il me regarde tout à coup.

— Pardonnez-moi... Je fais allusion à des mystères que vous ne pouvez comprendre encore... Sachez seulement que nous vous saurons gré de nous avoir aidés, sans le savoir...

Je ne sais pourquoi, il y a des choses qui me reviennent. Des choses, si j'ose dire, plus « terre à terre ».

— Il me semble, lui lançai-je sur un ton assez amer, que pour conquérir un pareil objet, vous ne reculiez devant rien... Ainsi, ce malheureux antiquaire...

Il fronce le sourcil.

— Je suis intervenu à temps. Ces misérables imbéciles ont outrepassé les nécessités de la mission à eux confiée...

— J'imagine que sans vous, ils l'auraient assassiné ? Ou au moins torturé ?

L'inconnu fait claquer sa langue contre son palais.

— Désagréable, tout cela ! Mais vous avez raison. La possession d'un aussi formidable secret implique bien des passions, bien des désordres. Nous ne sommes peut-être qu'au début de la lutte. Mais enfin, le voilà... Je le tiens !

Ses yeux brillent et c'est avec fébrilité qu'il palpe l'incompréhensible chose.

Doucement, je dis (car je commence à retrouver un peu de sang-froid) :

— Vous semblez oublier que cela m'appartient !...

Il hésite avant de me répondre et, sans acrimonie, il reprend :

— Bien sûr ! Légitimement, c'est votre bien. Mais quand vous saurez, vous ne refuserez pas de le mettre à notre disposition... Si vous voulez de l'argent, je vous en ferai donner... Un million de comètes si vous le désirez... Ou dix millions ! Ou plus ! Nous ne reculerons devant rien !

— Je m'en aperçois !

— Mais je pense, fait-il vivement, que quand vous saurez... D'ailleurs, je pense que vous savez déjà...

J'aboie presque, exaspéré :

— Que je sais... quoi ?

Il élève la boussole, la fait légèrement oscil-
ler.

— Des images... des films... vous avez dû les
voir... Il suffit d'une manipulation...

Je hausse les épaules.

— Si vous voulez le savoir, j'ai voulu faire
une démonstration à mon chef de service... Et
rien ne s'est produit !

— Parce que, à certains moments, il y a un
déclencheur qui joue... au gré des mouvements... Il suffit que cet élément soit bloqué...
Tenez !

Il remue la boussole, il la retourne. Rien encore. Il semble contrarié. Mais son visage
s'éclaire tout à coup et il la fait virer curieusement, comme s'il se souvenait soudain de quelque chose.

Et il obtient alors — volontairement — ce
que j'ai, moi, obtenu à plusieurs reprises et tout
à fait par hasard. Ce qui a refusé de se produire
alors que j'avais tellement besoin de le montrer à Werner.

C'est-à-dire que des formes mouvantes, colorées, envahissent la cellule.

Tout cela est confus, strié en quelque sorte
de visions plus nettes, mais tellement fugaces
qu'on a peine à les saisir partiellement.

Lui semble plus paisible.

— Bien sûr, je ne sais pas encore tellement
l'utiliser... Mais je crois qu'avec un peu d'expérience... J'ai tout de même quelques directives...

A partir de cet instant, il semble oublier mon

existence. Il palpe, il manipule, il tourne et retourne la boussole. Il faut dire que la luminosité des visions éclipse celle du néon magnétisé qui éclaire ma cellule, comme tout l'ensemble des compartiments de la tour. Mon inconnu, visiblement, s'essaye à faire fonctionner ce cinéma de poche, recherchant le meilleur angle d'utilisation.

Nous sommes environnés d'une sorte de magma visuel. Moi, je pense aux hommes volants. Sont-ils nés de ces radiations ? Ou étaient-ils tangibles ?

Comme lui ?

Werner avait-il raison ? De telles images n'auraient pas influencé le radar. Et c'est ce dont je dois convenir. Si bien que je me dis que ce beau barbu n'est pas seul, qu'il est venu par le ciel, ou les nuages, ou je ne sais quoi, et qu'il y a ses complices, évoluant toujours près de la tour des nuages et échappant aux recherches du commando, ce qui a provoqué la mort d'un de nos hommes.

L'étranger semble absorbé par l'objet. Il continue son manège. Visiblement, il cherche une utilisation rationnelle qui lui échappe encore. Certes, il sait ce dont il s'agit. Mais, s'il m'a dit la vérité, et je n'ai aucune raison d'en douter, il s'émerveille lui-même de sa découverte, aboutissement certain d'une recherche exceptionnelle. Une recherche qui s'étend sans doute très loin dans l'espace et le temps.

Maintenant, il veut se servir de son butin.

Parce que, cela non plus, je n'en doute pas, la boussole a cessé de m'appartenir, que je le veuille ou non.

Cependant, je constate qu'il obtient petit à petit des résultats.

Nous sommes totalement retranchés du monde. Les spectres, le tourbillon plus ou moins dense qui les entoure, ont envahi la cellule tout entière. On ne distingue plus les parois, le lit, les meubles. Plafond et plancher ont également été noyés dans cette nébulosité où s'entremêlent dix, cent films différents, montrant des personnages, des paysages incroyablement diversifiés.

Nous sommes, lui et moi, au centre d'une sphère mouvante, aux dimensions plus que vagues, où se manifestent d'incroyables visions.

J'ai oublié que j'étais Guy Mathias, que nous nous trouvions au troisième étage du cockpit de la tour des nuages, au-dessus d'un océan de la planète Terre.

Tout est maintenant hors des normes. Fasciné, je vois.

Parce qu'il a réussi ce qu'il cherche depuis qu'il s'est emparé de l'objet : il a suscité une fois encore l'image de la nef immobile.

— Regardez, Guy Mathias... Regardez bien !

Mon cœur se serre. Je la revois, elle...

Seulement, l'image brève, qui s'inscrit chaque fois à peine sur ma rétine, l'image qui me rappelle un passé mystérieux, n'a jamais été aussi nette. Et je constate avec encore plus de véracité que l'astronef est figé, que ses passagers, eux non plus, ne bougent pas. Ce qui forme un contraste frappant avec l'ensemble des films — appelons-les ainsi — qui ne cessent de défiler, dans tous les azimuts, de façon anarchique, créant un climat fantasmagorique invraisemblable.

Au centre, il y a maintenant un astronef de forme quasi sphérique, dont la carène est bizarrement ornementée. Cela rappelle peut-être, s'il faut une comparaison avec l'historique terrestre, une jonque d'Extrême-Orient. Oui, c'est cela. Un vaisseau spatial qui eût été construit au temps des mandarins, avec ce petit côté légendaire curieusement accolé à une technologie forcément très avancée.

La nef immobile...

Elle...

Je la vois et, bonheur inattendu, je peux enfin la détailler. Elle porte une tenue évidemment spatiale, mais très seyante, de tons argentés. Tête nue, elle montre de beaux cheveux noirs, très noirs contrastant avec un teint assez clair. Et des yeux lumineux, d'un joli gris... Et cette sorte d'armure d'argent met en relief les seins menus et haut placés, qui pointent audacieusement.

J'en ai le souffle coupé. Je savais obscurément que j'étais épris de cette vision. Comment douterai-je, maintenant ?

Il me semble que l'homme à la barbe m'observe avec une pointe de malice.

Il prononce :

— Vous n'avez pas tout vu, Guy Mathias...

Il a réussi à maîtriser, du moins en partie, la boussole fantastique. Il dirige à son gré, ou presque, les images. Il maintient la vision de la nef, il oblige le film à s'arrêter. Cependant, alentour, c'est toujours le carrousel des projections variées.

Je vois l'intérieur de la nef. Plusieurs hommes, près d'elle.

Elle que j'aime comme si je l'aimais depuis... depuis toujours !

Les cosmonautes, eux aussi, sont immobiles. C'est effarant de constater qu'il s'agit, contrairement à tout ce que suscite la boussole, d'un groupe qui semble fixé une fois pour toutes.

— Regardez bien le troisième cosmonaute, à partir de la gauche...

Je veux dire quelque chose, je m'étrangle.

Je finis par éructer :

— Non !... C'est fou !... Ce n'est pas possible...

— Si, Guy Mathias. Vous ! Vous à bord de la nef...

— Un sosie ! Un autre qui me ressemble...

— Et s'il s'agissait bien... de vous ?

Je cache mon visage dans mes mains. C'est trop, cette fois.

Et puis, je me mets en colère. Je fonce sur mon visiteur, je tente de lui arracher la boussole des mains.

— J'en ai marre ! Marre, vous entendez ! Et vous savez ce que ça veut dire puisque vous comprenez les langues de la Terre ! Alors, donnez-moi ça et foutez-moi la paix !

Mon accès aussi subit que violent ne semble guère l'impressionner.

— Je vous comprends, Guy Mathias... Cependant, admettez que vous participez, de près ou de loin, à cette affaire d'exception...

J'explose :

— Fantasmagorie ! Qu'est-ce que ce fourbi ? Un kaléidoscope fabriqué je ne sais où... Un jouet ! Un gadget ! Voilà tout !... Et si mon visage y figure...

Je m'interromps. Il me semble que je parle dans le vide. Lui continue à faire doucement évoluer l'engin. Et je découvre soudain, non plus la nef immobile, mais un paysage inconnu. Où je me trouve. Où se trouve aussi la fille aux cheveux noirs et aux yeux gris.

Tellement inconnu, ce paysage ? Ces arbres violets ? Ces fleurs étranges ? Ces animaux qui tiennent à la fois de l'oiseau et du reptile, très jolis d'ailleurs, et qui semblent familiers avec elle, avec... *nous !*

Accablé, je tombe assis sur mon lit, que j'ai aperçu presque à tâtons, tant les films qui continuent à se superposer estompent les choses.

— Arrêtez ! Je n'en puis plus ! Et dites-moi...

— Guy Mathias, je veux vous aider... Et vous allez nous aider !

— Vous ? Je ne sais même pas qui vous êtes !... D'où vous venez ! Je ne sais même pas votre nom !

— Je viens, vous le devinez, d'une planète lointaine. Son nom ne vous dirait rien, pas plus que le mien... Disons que pour vous, Terriens, j'appartiens à la constellation du Poisson Austral. Mon nom... Appelez-moi d'un nom de chez vous, ce sera plus simple...

— Que je...

Il rit légèrement.

— Vous n'avez pas idée ? Eh bien, si vous aviez un fils, un jour, comment l'appelleriez-vous ?

Je réponds, plus ahuri que jamais, mais spontanément parce que justement c'est un choix que j'ai fait depuis longtemps :

— Ce serait Patrick !

— Donc, appelez-moi Patrick !

Je veux encore résister :

— Vous voulez mon aide ? Je n'y comprends rien. Et puis... au nom de quoi ? En quoi cela me concerne-t-il ?

Il se fait plus grave pour dire :

— Parce qu'ils sont en détresse... Une détresse dont vous n'avez nulle idée... Eux ! Les passagers de la nef ! Et elle... Elle, la laisseriez-vous dans cette damnation, dans ce sort funeste ? Quand je vous aurai dit ce qu'ils endurent...

Il ne me le dira pas. Du moins, pas tout de suite.

Une sirène vibre. Alerte générale ! Et dans

tous les interphones de la tour des nuages, une voix sèche, métallique, s'élève :

— Tout le monde en tenue de combat ! Un homme volant non identifié s'est introduit dans le cockpit ! Chefs de districts, formez vos équipes !

Patrick... puisque Patrick il y a, est repéré !

IV

Je réalise brusquement l'équivoque de la situation. De « ma » situation.

La tour des nuages en alerte. Cet édifice d'une importance capitale pour la navigation interplanétaire est menacé par des éléments inconnus, mais dont je commence à croire qu'ils sont beaucoup moins fantasmagoriques que je n'ai pu le supposer.

Et moi, je suis là, à discuter avec... avec un de ces mystérieux personnages !

Devine-t-il ce qui se passe en moi ? Quand la sirène a résonné, il a froncé les sourcils et ensuite écouté attentivement le speaker.

Mais il a l'air à peine inquiet, tandis que je suis franchement angoissé.

Il a même, une fois encore, ce vague sourire, où je lis indulgence à mon égard. Ah, ça ! cet extraterrestre me prend pour un gamin ?

Il ne me laisse pas le temps de me reprendre.

— De toute façon, je commence à savoir me servir de la boussole. Alors, ne craignez rien, cher Guy !

Cher Guy ! C'est un comble ! Il m'appelle aussi familièrement. Et moi, je ne sais que répondre. Je voudrais réagir, mais tout cela me dépasse.

Déjà j'entends, par l'interphone, le tumulte général. Je devine les hommes des piquets d'alerte, promptement en tenue de combat, qui se ruent aux divers postes d'observation et d'éventuelle bagarre. Je distingue le pas lourd et saccadé des robots auxiliaires, des appels, des ordres lancés par divers micros, tout ce qui représente auditivement la mise en état de notre énorme organisation.

Il me lance, d'un ton amène, mais qui ne semble pas laisser supposer que je vais contester :

— C'est bien entendu ! Je compte sur vous ! Vous allez nous aider ! Il faut les sauver... « La » sauver !

Mon cœur bat. La sauver... Cette fille brune aux yeux gris...

Réalité ? Fantôme ? Mais est-on amoureux d'un fantôme ? Par le dieu du cosmos ! serais-je donc amoureux ? Pauvre Nathalie !

Et pauvre moi ! Pauvre moi qui regarde le simili-Patrick en train de manipuler la boussole en la tournant dans des azimuts différents.

Si je ne savais pas de quoi il pouvait s'agir, ni à quoi cela servait, il le sait, lui.

— Nous quitterons la tour des nuages sans encombre, me dit-il du ton le plus naturel du monde. Vous allez voir comment !

Parce que, pour lui, pas de discussion possible : je vais le suivre. J'entre dans ses vues. Je quitte l'univers qui est le mien pour me précipiter dans je ne sais quel inconnu, dans ce monde affolant engendré à partir de la boussole mystérieuse.

Car c'est la boussole qui mène le bal. Et quel bal !

Lui, maintenant, est très sérieux. Il semble prodigieusement intéressé par ce qu'il fait et à quoi naturellement je ne comprends rien.

Et puis, autour de moi, les rangs se resserrent. Oui, les rangs. Des humains en série. Hommes, femmes... De quelle planète ? Je ne saurais le dire. C'est flou, très esquissé. Je plonge dans un univers de brouillard.

Tout est au point d'un seul coup, tandis que Patrick, ce Patrick de je ne sais où, laisse échapper une légère exclamation de satisfaction.

J'assiste à ce phénomène : ce qui était flou est devenu très précis. Exactement comme la vision obtenue à partir de jumelles binoculaires. Pendant un instant, tout se brouille. On cherche, on tâtonne, on règle, et tout devient net.

C'est ce qu'il vient de réaliser. Ces personnages sont là. Ils semblent vrais. Ils vont, viennent. Ils emplissent tellement bien la cabine qu'ils paraissent en quelque sorte la dépasser. En effet, je ne vois plus les parois. Des gens portant des tenues diverses. Surtout une théorie exclusivement masculine, parfaitement alignée. Des soldats ? De quelle armée ? De quel cosmos ?

— Venez, cher Guy !

Il m'entraîne. Je ne sais plus où je suis, je ne sais plus ce que je suis. Je me rends cependant compte d'une chose : ces gens extraordinaires sont bel et bien du domaine de la fantasmagorie. Ils ne sont que les projections de la boussole, à cela près que je n'ai jamais réussi à atteindre avec mes films, diffusés au hasard une pareille perfection.

Où suis-je ? Dans le couloir maintenant. Patrick a quitté la chambre en m'entraînant. Et ce couloir est encombré, lui aussi...

Un monde fou. Une foule comme il n'y en a jamais eu à la tour des nuages. Comme d'ailleurs il ne saurait, il ne devrait y avoir, pour l'excellente raison que la garnison est limitée à un nombre strict d'occupants. Mais ce diable venu d'autre part, utilisant cette damnée boussole qu'il cherchait à travers les astres, a peuplé l'immense cockpit de centaines, peut-être de milliers de phantasmes.

Spectres qui ont l'air de tout ce qu'on veut, sauf d'être justement des spectres. Vêtus de cent façons différentes, ils présentent tous les aspects humains imaginables. Sexes, âges, conditions. Races surtout. Toutes les tailles, toutes les teintes de peau. Je savais qu'il en existait beaucoup dans les diverses planètes avec lesquelles nous entretenons des échanges, mais certainement la boussole agit bien au-delà et suscite les reflets d'individus encore jamais recensés par nos cosmonautes et nos ethno-cosmologues.

Le résultat ? La panique dans la tour.

Parce que des humains, des vrais, mes camarades, mes collègues, alertés et affolés, tentent vainement de s'y retrouver. Oh ! certes, au bout d'un moment, on atteint cette certitude : ils ne sont pas tangibles.

Ils passent sur nous sans nous toucher et nous les traversons littéralement. Patrick et moi marchons à travers leurs rangs serrés. Je vois venir vers moi une charmante créature. Teint clair, yeux d'eau profonde. Un corps exquis moulé dans une sorte de tunique bleue, collante par endroits et qui burine des formes suggestives. Pas un cheveu ! Elle est totalement chauve. Mais elle a trop de charme et je suppose qu'il ne s'agit nullement d'une infirmité, mais bien d'une caractéristique de race.

Je suis fasciné et Patrick me rappelle à la raison :

— Ne rêvez pas, Guy ! L'heure est grave !

Hélas ! il a raison ! On crie, on s'interpelle. Toute la garnison en folie qui tente de réagir. Mais le commandant et son état-major, je le conçois, sont débordés par cette invasion spectrale. Quelques-uns tentent de ramener le calme en criant justement qu'il ne s'agit que d'une illusion, d'un fantastique cinéma en relief, qu'il s'agit d'une ruse de l'ennemi pour nous abuser.

C'est probablement la vérité. Des fantômes et rien que des fantômes !

Malheureusement, ils sont partout et ils sont légion. Ils envahissent tous les compartiments de la tour et c'est peut-être justement leur nature purement visuelle qui crée ce climat de peur que rien ne peut plus endiguer. Tous et toutes, dans notre fantastique perchoir suro-céanique, sont affolés par ces êtres impalpables qui ne cessent de déferler, apportant un incroyable échantillonnage de variétés humaines, de types différents.

J'espère que quelqu'un aura l'idée de prendre des photos, des films, que le kinescope fonctionne quelque part. Parce que, en principe, les pellicules doivent être impressionnées par ces visions qui touchent les rétines humaines.

Patrick m'a encore bousculé, alors que j'allais succomber au charme illusoire de la fille au charme dangereux et qui n'a pas de toison capillaire.

— Pas le moment de jouer les séducteurs !

Je ne pensais pas à cela. J'étais la victime et non le coupable. Mais la réalité me frappe et des paroles lancées dans un micro me reviennent :

Un officier de la base a parlé d'une ruse de l'ennemi !

D'ennemi !

Si ennemi il y a, moi, je suis un traître !

Je voudrais m'échapper, rejoindre les rangs

de mes compagnons. Seulement, ils sont tous
en état de fébrilité. On entend des cris atroces,
et ce sont plusieurs de nos charmantes auxiliaires qui piquent des crises de nerfs, affolées
par le déferlement des spectres. Des hommes
tirent, à tort et à travers. Il y a des blessés.
Bientôt, si cela continue, il y aura des morts.

Escaliers, paliers, compartiments, postes,
chambres, soutes, tout est au pouvoir de ces
êtres qu'on ne peut toucher, qui nous regar-
dent, passent sans la moindre gêne si bien
que nous nous trouvons bizarrement en eux.
On ne sent rien, strictement rien et, cependant,
un frisson me parcourt à chaque rencontre. Je
suis persuadé que tous, ici, ressentent la même
chose et que c'est cela qui met la garnison en
état de démence.

Car c'est bien de démence générale qu'il
s'agit. On crie, on court, on se bouscule. On ne
sait plus, à un certain moment, quelle est la
différence entre les humains de chair et ces
créatures purement abstraites, mais tellement
visibles, tellement nettes...

Patrick m'entraîne toujours. Il semble parfaitement savoir où il va alors que moi-même,
qui pourtant connaît ou croit connaître la tour
des nuages comme ma poche, je ne vois plus
où nous nous trouvons. Car les légions de nos
curieux conquérants masquent les parois, les
plafonds. On ne sait plus où l'on marche, on
se cogne contre des angles, on trébuche contre
des marches, on dégringole dans les escaliers

et les cages d'ascenseurs. J'entends des hurlements, car les accidents se multiplient.

— Guy !... Pensez à elle !... Il faut l'arracher
à la nef immobile !

Est-ce que je sais ce que signifie un pareil
langage ?

Mais l'image de la fille aux yeux gris est en
moi. Dieu ! Elle est devant moi !

Là, au détour de je ne sais quel carrefour de
la géante construction. Et je devine que c'est
encore un tour de l'infernale mécanique. Patrick veut agir sur moi. Je dois représenter une
valeur que j'étais loin de soupçonner en ma
petite et modeste personne. Il veut me subjuguer et n'a trouvé de meilleur moyen que de
me la montrer, tel un Méphisto utilisant l'image bien-aimée pour séduire sa proie.

Je l'ai revue. Figée avec les cosmonautes dont
un me ressemble de façon hallucinante, dans
l'astronef immobile.

L'étrange Patrick est maintenant en possession parfaite de l'objet qu'il m'a arraché. Et
il s'en sert ! A croire qu'avant de toucher seulement le fruit de ses désirs, il avait longuement, très longuement étudié la question. Comme l'élève d'un collège technique parfaitement
éduqué qui, du premier coup ou presque, sait
utiliser la machine qu'on lui met entre les
mains.

Où sommes-nous ? Je réalise que ce vent glacé, cette brume attestent notre présence sur
la plate-forme supérieure qui domine la tour

des nuages. Là où les engins aériens viennent se poser.

Seulement, dans le tourbillon des êtres tangibles ou non, j'ai peine à me rendre compte.

J'ai cru, à plusieurs reprises, croiser ou entrevoir des familiers. Tels que ce brave Evrard ou même l'ingénieur Werner. Mais ils ont été emportés par le flux invraisemblable qui domine.

Alors ? Que va faire mon guide ?

Il continue à diffuser à son gré cette foule irréelle qui noie la garnison et entretient cet état alarmant. Je prends conscience du drame. J'entends encore des cris douloureux et mon cœur se serre. Ne devrais-je pas me jeter sur ce satané Patrick, en finir avec lui, lui arracher la boussole et ainsi que je l'avais proposé à Werner, courir la précipiter dans les vagues de l'océan ?

Mais il émane de sa personne une fascination telle que je sais bien que je n'échapperai pas. Je suis subjugué. Est-ce vraiment lui ? Ou ne fait-il pas jaillir les modalités de cette sorte d'envoûtement de la boussole elle-même ?

Je marche comme un automate, comme ces robots qui sont les assistants de la garnison et qui, à l'heure actuelle, tout aussi déphasés que les humains, s'agitent en tous sens sans grande utilité, sinon en ajoutant encore à la pagaille générale.

Nous sommes fouettés par ce vent froid. Je ne vois plus très bien où commence, où finit l'immense plate-forme. D'abord parce que des gens y vont et viennent dans tous les sens, en proie à une folie collective parmi les spectres qui continuent à naître par douzaines, ensuite en raison de ce brouillard qui roule à cette altitude et a fait donner son surnom à la tour.

Et puis, je me heurte à quelqu'un qui se précipite vers moi.

— Oh ! c'est vous, Guy ? Je vous en prie... Que se passe-t-il ? Je vais devenir folle... Sauvez-moi ! Sauvez-moi, je vous en supplie !

Waïla s'accroche à moi. Waïla aussi blonde que l'inconnue de la nef immobile est brune. Waïla qui n'a rien de la beauté classique mais tout au contraire relèverait plutôt du genre pin-up (comme disaient nos aïeux), avec son petit nez retroussé, son corps petit mais bien fait, ses yeux agrandis adroitement au fard et ses lèvres qui attirent irrésistiblement, évocatrices de voluptés variées.

Mais Waïla ne doit guère songer à quelque nuit délirante. Pour l'instant, elle est terrorisée, comme sans doute l'ensemble du personnel féminin de la tour des nuages, sans préjudice de la panique masculine.

— Ne craignez rien... Je vous sortirai de là !

Eberlué, je comprends qu'encore une fois le sieur Patrick se moque de moi. C'est lui qui, sans me laisser le loisir de répondre, est intervenu.

Alors, je constate, dans le formidable désordre des humains affolés et des fantômes triomphants, que mon extraterrestre est vraiment un enjôleur, un charmeur de premier ordre.

Parce que le regard effaré de Waïla se pose

sur lui. Surprise de son intervention inattendue, elle change d'attitude en dix secondes. Elle est visiblement attirée par lui, et cette simple phrase a commencé à la rassurer. Il lui tend la main et — par tous les diables de l'univers ! — elle prend cette main. Elle se laisse emmener vers lui.

Et moi ? De quoi ai-je l'air ? Certes, j'estime Waïla qui est une chic fille et j'apprécie ses charmes. Mais le Patrick me la souffle sous le nez. J'ai beau me dire que les circonstances jouent en sa faveur, tout de même, je me trouve l'air d'un parfait imbécile.

— Venez ! Venez !

Je suis. Et Waïla suit.

Je le vois qui fait encore jouer la boussole, sans rien comprendre à ses manigances. Mais j'ai de plus en plus la conviction que j'avais fait l'acquisition d'un élément d'une inestimable valeur et que cela valait la peine pour Patrick et ses comparses de se donner autant de peine pour s'en emparer.

Devant nous, une piste. Oui, une piste. Les rangs des spectres ont paru s'écarter. On voit passer, de temps à autre, quelqu'un. Mais c'est un membre de la garnison de la tour qui court au hasard, cherchant on ne sait trop quoi.

Patrick s'élance sur cette piste qui s'étend très loin sur la plate-forme. Je suis le mouvement. Parce que, fasciné ou non, j'irai moi aussi jusqu'au bout. Je veux percer l'énigme que me pose la boussole, et l'extraterrestre qui me l'a **ravie.**

Nous courons tous les trois. Le vent est vif et les embruns nous fouettent.

Mais il y a un moment que nous avançons ainsi. Nous avons dû parcourir toute l'étendue de la plate-forme puisque j'ai vu à plusieurs reprises les hélicos et les jets qui y sont posés. Et maintenant ?

La piste... J'avance sur la piste avec Patrick et Waïla.

Et je constate que je ne suis plus sur la plate-forme, que j'ai dépassé le sommet de la tour des nuages.

J'avance. Je marche sur la piste.

La piste qui s'étend *dans le vide.*

Il n'y a rien au-dessous de moi. Sinon un support absolument invisible.

Et je vois en dessous, très en dessous, la surface de l'océan.

V

Il n'y a plus de spectres autour de nous. Nous sommes littéralement en plein ciel. Les nuées gris-vert qui surplombent l'Atlantique roulent, noyant l'horizon.

Je me retourne, effaré. Je ne distingue que vaguement la tour des nuages, précisément parce qu'elle n'a jamais mieux mérité son nom, enrobée de brume.

Et devant, qu'y a-t-il ? Je ne vais pas tarder à le savoir.

Mais Waïla, elle aussi, sort de sa torpeur. Stupéfaite, elle constate que tout comme moi et cet invraisemblable Patrick, elle se trouve perdue dans le vide.

Vertige ! Vertige qui la saisit, qui me saisit !

Ce vide qui attire... Aberration totale. Nous ne *pouvons pas* être ainsi perdus dans le vide et nous *sommes* perdus dans le vide.

Je m'enfonce.

Waïla s'enfonce.

Je l'entends hurler.

Et il y a un autre hurlement. Le mien. Parce que je hurle de terreur et de détresse, moi aussi.

Parce qu'il est illogique que nous puissions ainsi rester à plus de mille mètres au-dessus de la surface marine. Alors, tout naturellement, nous allons tomber !

Non ! Parce que Patrick a vu, compris notre terreur. Il bondit, attire Waïla à lui (je suis sûr qu'elle ne demande que ça), et crie à mon intention :

— Tenez bon ! Prenez conscience d'être ! Vivez ! Vivez intensément ! Comprenez que vous vivez, même si c'est dans un autre temps !

Absurde ! Mais une fraction de seconde — si je puis encore estimer la durée — je me pose la question.

Et je ne tombe pas. Et Waïla ne tombe pas. Et je vois l'astronef devant nous, cet astronef où Patrick nous précipite en nous bousculant.

Je m'ébroue. Mais non, je ne suis pas mouillé encore que j'aie traversé le brouillard qui déferle autour de la tour.

J'ai entrevu l'engin spatial. Il ressemble vaguement à celui entrevu dans les projections de la boussole, cette nef immobile qui enferme la fille aux yeux gris.

Pourtant, il est différent, si je puis dire. De même type mais en plus moderne, en plus stylisé. Sphérique également, sans ces ornements un peu futiles que j'ai remarqués.

— Il était temps, me dit posément Patrick,

très maître de lui. J'avais réussi à créer un climat intemporel autour de nous, de façon à jeter un pont entre la plate-forme de la tour et notre vaisseau qui ne pouvait évidemment y aborder. Et cela marchait, *parce que ni vous ni Waïla ne se rendaient compte*. Cela a failli craquer quand vous avez pensé que vous étiez dans le vide...

Je râle :

— Mais nous *étions* dans le vide !

— En apparence, oui, en fait, non. Les radiations de la boussole sont d'une subtilité que nos documents attestaient, mais dont je pouvais douter encore. A présent, je sais. Je commence à utiliser mes données. On peut ainsi, pour un instant très bref, engendrer l'intemporel... Seulement, il ne faut pas s'en évader en jouant les réalistes, ce que vous avez failli faire tous les deux...

Waïla ne doit pas comprendre mieux que moi. Mais elle le regarde avec ses grands yeux, grands même quand le maquillage se dilue, ce qui est le cas. Et je me dis que pour ce genre de filles, peu importe que l'homme dise vrai ou non. Ce qui compte, c'est qu'il parle ! Et elle n'en perd pas une bouchée !

Est-ce le moment d'être exaspéré par une jalousie stupide ? Si Waïla trouve l'extraterrestre à son goût, je ne vois pas en quoi cela me concerne. Seulement, je me dis que si Nathalie était là, elle serait capable d'avoir la même expression béate. Il y a des garçons qui font cet effet-là !

Je serre les poings et, acide, je lance :

— Patrick ! Puisque vous voulez que je vous appelle ainsi... Je ne comprends goutte à vos explications...

— Vous saisirez petit à petit. La boussole nous dirige non vers un pôle précis, mais vers n'importe quel point du temps. Pour s'en servir, il est nécessaire de collaborer psychiquement. De croire au temps souhaité et non au temps purement relatif dans lequel nous sommes corporellement... Je vous ai amenés ainsi dans l'intemporel...

— Ça fait la troisième fois que vous employez ce terme !

— ... Et vous, vous avez voulu revenir au temporel, ce qui a failli vous coûter la vie à tous les deux après une chute de mille mètres dans l'océan...

Cette discussion spéculative risquerait de devenir interminable si Waïla, que de telles arabesques commencent à ennuyer, ne s'écriait :

— Mais... où sommes-nous ? Où nous avez-vous conduits ?

Patrick n'a pas le temps de répondre. Trois hommes, une femme, font leur apparition. Ils portent des tenues en lesquelles je reconnais immédiatement celles dont étaient affublés les singuliers nageurs spatiaux repérés sur le radar de la tour. Tenue qui est d'ailleurs celle de Patrick. Un costume parfait pour les plongées dans le vide, voire la pleine eau.

La jeune femme sourit. Pas laide, d'ailleurs.

Visiblement de la même race que Patrick. Un peu plus âgée. Les hommes sont impassibles.

Cette femme parle avec volubilité. Visiblement, elle tient Patrick au courant de faits importants, voire inquiétants car je le vois attentif et grave.

Ils échangent quelques propos. Tout laisse à croire qu'elle occupe un poste élevé sur le navire spatial et que lui-même est un personnage parmi ces extraterrestres.

Alors, il parle à son tour. Il semble donner des ordres. Les trois hommes ont écouté avec la même attitude, à la fois déférente et correcte. Très vite, ils se précipitent les uns et les autres.

Patrick se tourne vers nous.

— Un danger inattendu ! Nos... enfin, disons : nos rivaux, nos concurrents, pour employer un terme de la Terre, nous cherchent. Ils cherchent également la boussole. Je vous expliquerai plus tard. L'astronef est menacé, ce qui n'avait pas été prévu. Alors, je vais tenter une expérience...

Un temps. Il nous regarde alternativement Waïla et moi.

— Acceptez-vous de m'aider ?

J'ai de moins en moins envie d'être aimable avec lui. Je grince :

— J'imagine qu'il s'agit du salut général !

Sourire un peu crispé de Patrick.

— Je ne vous le fais pas dire ! Je vous demande, mademoiselle Waïla...

(Tiens, il sait aussi son nom !)

— ... Et vous, cher Guy...

(Il y tient !)

— ... De revivre quelques instants d'un passé récent, très récent...

Décidément, avec cette sacrée boussole, il faut s'attendre à tout. Parce que je n'en doute pas, il s'agit là, évidemment, d'utiliser de nouveau l'objet fantastique.

Je le dis et Patrick approuve.

— Pour échapper à l'ennemi, une seule solution : faire comme si nous avions prévu son attaque, c'est-à-dire recommencer notre évasion de la tour des nuages...

Je le regarde. Décidément, je me sens aussi bête qu'il est possible. Et quant à Waïla, il est évident qu'elle comprend encore moins que moi, mais aussi qu'il suffit désormais que Patrick ouvre la bouche pour qu'elle dise amen.

Il s'explique : nous allons revivre notre évasion.

Je vocifère soudain :

— Quoi ? Le passage de la plate-forme à l'astronef... *dans le vide ?*

— Vous y êtes, Guy !

— Mais c'est à devenir fou !

— Non ! Cramponnez-vous à cette vérité : vous passez dans l'inter-temps. Vous ne risquez rien...

— De l'autosuggestion !

— Une première fois, est-ce que cela ne vous a pas réussi ? Vous avez constaté que vous marchiez hors des normes... et vous avez atteint l'astronef... Mais je vous en prie, il faut se hâter !

— Moi, j'y vais, dit sottement Waïla, tout à fait hors du coup, sinon hors du temps.

Je hausse les épaules. Puisque je n'ai pas le choix...

Que se passe-t-il alors ? Je m'attends à tout dès que Patrick, ce Patrick qui ne s'appelle pas Patrick et qui n'est pas de la Terre, manipule cette maudite boussole que le diable emporte, cette boussole que j'avais vraiment bien besoin d'aller chercher chez cet imbécile d'antiquaire !

Vent glacé. Embruns qui frappent le visage. Des nuages gris verdâtres qui roulent alentour.

Seigneur ! Il a récidivé. Et nous recommençons. Nous sommes dans le vide. J'en ai conscience, mais, curieusement, je n'ai pas peur. Enfin, disons que j'ai beaucoup moins peur qu'à la première évasion. Parce que je sais que, de toute façon, nous allons atteindre l'astronef. Nous avons été saisis dans les radiations de l'objet, un objet dont cet étrange bonhomme se sert maintenant avec dextérité. Et nous voilà qui repartons, moins d'un quart d'heure en arrière (en temps normal, bien entendu). Nous sommes de nouveau en train de franchir la distance qui sépare la plate-forme supérieure de la tour des nuages et l'astronef inconnu qui nous attend.

Waïla avance devant moi, serrée contre Patrick qui tient la boussole et l'oriente savam-

ment. Moi, je suis. Je n'ose regarder en bas.
En bas, c'est l'océan.

On marche. Cette fois, tout se passe bien. Instruit par l'expérience, je ne songe pas à la chute. Je sens que, bientôt, à ce rythme-là, rien ne m'étonnera plus jamais.

L'astronef. La jeune femme et les trois gars. Echange de paroles.

Tout le monde se précipite, sans doute vers les postes de manœuvre.

Patrick prend la main de Waïla et la met dans celle de l'inconnue.

— Voilà votre hôtesse... Les circonstances ont fait que, un peu par hasard, vous vous trouvez avec nous... Croyez, chère Waïla, que nous ferons l'impossible, les uns et les autres, pour vous rendre le séjour agréable...

Elles se sont éloignées toutes les deux. Waïla a fait un petit signe vague à mon intention, alors que Patrick a eu droit à son plus joli sourire.

Je me trouve seul avec lui. Je regarde autour de moi. J'ai déjà pris place sur un astronef, mais il me semble que celui-là ne ressemble guère à ceux construits sur la Terre, ou en service avec les planètes que je connais.

Patrick s'explique, toujours affable :

— J'ai pu, je n'osais croire y parvenir, nous faire refluer dans le temps. Un petit moment, juste ce qu'il fallait pour éviter le point où l'astronef ennemi cherchait à nous atteindre... Nous avons donc gagné l'adversaire de vitesse. Il faut vous dire que cet engin est peu propre

3

au combat. Donc, en recommençant notre vie pendant ce court instant, nous modifions nos plans... Et notre très proche avenir !

— Où allons-nous ?

— On nous cherche dans la zone qui avoisine la tour des nuages. Ils sont bien renseignés et savaient que j'allais à votre recherche. Pour l'instant, nous descendons...

— Hein ? Je croyais que...

— Que nous allions piquer vers les espaces intersidéraux ? Un peu plus tard ! Le temps de dépister l'ennemi. Mais regardez plutôt !

Il m'entraîne vers ce que je crois un hublot et qui est en réalité une sorte d'écran reflétant l'extérieur.

Stupéfait, j'aperçois la surface de l'Atlantique. Ces eaux vert-de-gris que je connais si bien, déferlent.

Plouf ! L'astronef s'enfonce.

— Rassurez-vous, fait Patrick. Tout est prévu et nos appareils sont amphibies. Nous allons voyager en profondeur pendant un bon moment. Puis nous émergerons et alors, ainsi que vous vous y attendiez, nous foncerons vers le ciel, nous quitterons la planète Terre... L'adversaire aura perdu notre piste !

Il est temps de poser des questions. Et la première me monte aux lèvres :

— Et... où allons-nous ?

— Je vous l'ai dit. D'abord, dans notre monde du Poisson Austral. Ensuite... votre rôle commencera, cher Guy ! Vous volerez au secours de la nef immobile !

VI

Cela va trop vite. J'ai à peine le temps de réfléchir. Moi qui n'ai jamais voyagé en sous-marin, me voilà sous les vagues de l'océan. Il est vrai que l'engin qui m'emmène n'est pas un navire conçu à cet usage, mais un vaisseau interplanétaire transformable à volonté.

Un vaisseau dont l'équipage venu, me dit Patrick, du monde du Poisson Austral, est composé de gars capables d'évoluer en plein ciel avec la même aisance, munis, j'imagine, de dispositifs anti-G. Et moi qui les prenais pour les fantômes nés de la boussole !

Toujours est-il que nous cheminons entre deux eaux. Je ne sais où se trouve présentement Waïla, confiée par notre guide à l'hôtesse du bord. Hôtesse qui, d'ailleurs, semble être investie d'une sacrée autorité ! Patrick a pitié de moi, de mon désarroi et consent à me fournir quelques explications.

Il appartient à une race dont j'ai peine à comprendre le nom. Je puis essayer d'orthographier ainsi : Xamlis, sans garantie. Les Xamlis du Poisson Austral ont des rivaux, une race originaire d'un monde voisin. Là, c'est plus simple : on les appelle les O. Facile à retenir ! La langue Xamlis est à peu près impossible à saisir pour les étrangers, si bien que mon guide m'a prié de le baptiser à mon gré.

Toujours est-il que cette rivalité s'est concrétisée en maintes circonstances, et particulièrement pour la recherche de la fameuse boussole.

Un savant xamlis aurait réussi à orienter le temps, soit à pouvoir se diriger non vers un endroit déterminé, mais vers une époque, un moment, un siècle... que sais-je, à la volonté du possesseur de la boussole. À condition, évidemment, de savoir s'en servir et, comme le dit Patrick, de participer. Arbitraire, non ?

Mais je dois admettre, depuis que j'ai revécu les brèves minutes de ma promenade en plein ciel, qu'il y a du vrai dans cette histoire.

Donc, à un certain moment, une expédition xamlis est organisée, pour tenter un voyage dans le temps. Il faut croire que leur littérature, comme la nôtre, a beaucoup utilisé ce genre de procédés, et que les H.G. Wells, Richard-Bessière et autres Jimmy Guieu du Poisson Austral ont rêvé... ce qu'un physicien a réalisé un peu plus tard.

Pas difficile pour moi, en apprenant ça, d'imaginer que la nef que j'ai entrevue est précisément l'appareil choisi pour une pareille expédition. Je le dis à Patrick, à ce point de son récit. Mais les questions se bousculent.

Je ne sais par où commencer. Lui, posément, me traitant toujours un peu comme un petit garçon, il s'explique.

La nef a donc été lancée. A bord, le commandant responsable utilisait la boussole, exemplaire unique dans la Galaxie, parce que son inventeur s'était toujours refusé à en laisser construire une réplique et, d'autre part, gardait jalousement ses secrets.

Que s'est-il passé au cours de l'expédition ? A un certain moment, la nef s'est trouvée immobilisée. Immobilisée dans le temps. C'est-à-dire que ses passagers sont. Ils sont. Ni morts ni vivants. Bloqués !

La boussole ? Là, c'est le mystère. Pourquoi n'est-elle plus à bord ? Pourquoi leur fait-elle défaut ? On ne sait.

Ce qu'on sait, c'est qu'à plusieurs reprises, en diverses planètes, certains phénomènes ont été signalés qui, d'après les experts xamlis, ne pouvaient être imputés qu'à la boussole. Aussi des émissaires ont-ils été chargés de la retrouver à tout prix, quel que soit l'univers où elle se trouvait.

Ce qui a tout compliqué, c'est que les O, les fameux rivaux de Xamlis, ont eu vent de l'histoire et ont tenté de gagner les envoyés de Xamlis de vitesse. D'où une rivalité qui n'a pas tardé à dégénérer en guerre secrète.

Tout cela me semble assez plausible. Avec un

peu de bonne volonté. En revanche, ce qui est
beaucoup moins compréhensible, c'est pourquoi l'un des cosmatelots de l'inter-temps, compagnon de la fille aux yeux gris, me ressemble
comme un jumeau.

Patrick daigne m'expliquer :

— Cher Guy, ce garçon ne vous ressemble
pas. Il est « vous ». C'est vous qui êtes à bord
de la nef immobilisée.

— Moi ?

— Je vous en ai déjà parlé. Nous tous, humanoïdes du cosmos, vivons la grande aventure
de l'éternité. Un sort éternel, réfléchissez un
peu, ne saurait se régler, au regard du maître
du cosmos, par la ridiculement médiocre durée
d'une existence humaine se déroulant sur quelque planète que ce soit. On ne mérite pas les
béatitudes sans fin par quelques rotations d'un
astre quelconque. Non ! L'évolution de l'âme
exige de multiples expériences...

— La réincarnation ? Le Karma ? J'en ai
assez entendu parler sur la Terre !

— Par des gens qui avaient parfaitement
raison. Donc, dans une de vos précédentes in-
carnations, vous étiez né sur Xamlis, vous étiez
un de mes coplanétriotes et...

Il a son petit sourire malicieux que je trouve
à la fois charmant et exaspérant quand j'en
fais les frais.

— ... Je suppose que vous ne vous étiez embarqué sur la nef inter-temps que parce que
vous étiez éperdument amoureux de la belle
Djeml...

Ce nom barbare ne me dit rien. En revanche, je crois toujours voir ces joyaux d'un gris indéfinissable que sont ses yeux.

Je regimbe tout de même, ne serait-ce que par principe (et mauvaise foi) :

— Mais enfin, je ne peux pas être à la fois vivant sur votre Xamlis, et ici, sur la Terre !...

— Qui vous dit : à la fois ? L'expédition a été lancée il y a près de trois siècles, d'après votre chronologie terrienne. Nous en connaissons l'existence d'après nos documents. Notre technologie, très en avance sur la vôtre, a permis cette fantastique recherche. Il y a eu un incident imprévu et depuis l'équipage est immobilisé... On a recherché les raisons, sans jamais en avoir effleuré l'origine. Et puis il y a eu ces phénomènes, ces gens qui croyaient revoir des séquences du passé... Nos enquêtes ont démontré que, chaque fois, la boussole avait été signalée dans ces planètes... Mais elle nous échappait toujours... Elle a fini entre vos mains, et voilà tout !

Il m'exaspère avec sa philosophie, son bla-bla-bla. Cependant, je dois tout de même reconnaître qu'à travers ce genre de discours transparaît une certaine lumière sur ce que j'appellerai les effets de la boussole. Petit à petit, si j'écoute avec une certaine attention les discours agaçants de l'agaçant Patrick, je finirai par saisir...

Oui, mais voilà. Vais-je écouter longtemps ? Où allons-nous, d'abord ?

Nous avons été interrompus par l'intervention de celle que j'appelle l'hôtesse. J'ai cru comprendre qu'elle avait un nom imprononçable. En tout cas, je la détaille et elle n'est pas si mal que ça. De profonds yeux noirs, un corps élancé, une allure un peu trop martiale pour une femme. Pas mal, tout de même. Elle nous a conviés au repas. J'y ai rencontré Waïla et fait la connaissance d'une demi-douzaine de cosmonautes. Deux seulement d'entre eux paraissent comprendre les langues terrestres. Ils nous parlent peu, mais tout le monde est souriant. Ils bavardent entre eux. Patrick est fort aimable avec nous et, naturellement, Waïla n'a d'yeux que pour lui.

Je me demande si elle réalise.

On nous a servi un apéritif bizarre, assez agréable. J'aime mieux le whisky mais je n'ai pas le choix. Expression qui me torture ! Je n'ai plus le choix en rien. Je suis lancé dans une aventure démente.

Les mets ? Des légumes ou des fruits ? De la viande ? De toute façon, c'est de la conserve venue du Poisson Austral. Pas mauvais, mais j'aimerais mieux un steack-frites précédé d'un Cutty Sark !

Après la pitance, on m'a conduit à ma chambre. Oui, j'ai droit à un petit réduit. Moitié moins grand que mon coin à la tour des nuages. Et j'ai dormi ! Je n'en pouvais plus !

Combien de temps ? Je me suis éveillé la bouche pâteuse. Avec la conviction absolue d'avoir fait un rêve idiot.

Je me suis précipité au hublot. Parce qu'il

y a un hublot, me souvenant de façon très vague l'avoir entrevu en m'endormant. Seulement, il était totalement colmaté puisque nous étions en plongée.

En plongée ? Je sursaute. Mais alors ? Alors, tout cela est vrai ?

Je m'écrase le nez sur cette sorte de vitre. Et je vois...

L'infini. Les étoiles. Comme lorsque j'ai fait (à deux reprises) le trajet aller et retour Terre-Lune. C'est aussi simple que ça : je suis dans l'espace.

Des heures vont passer...

Vie morne. Les Xamlis sont souriants mais semblent peu chercher le contact. L'hôtesse paraît la seule femme à bord, hormis Waïla, bien entendu. Waïla qui m'a dit en riant qu'elle adorait les voyages, les aventures, et qu'après tout mieux valait prendre son mal, si mal y avait, en patience.

La vérité est qu'elle est très bien avec Patrick. Sans doute encore mieux que je ne puis le supposer !

J'ai appris que nous avions très longuement progressé sous les océans, afin de dépister deux astronefs O qui nous traquaient. Les Xamlis, pensant les avoir déroutés, ont jugé bon de s'élancer hors des eaux terriennes, vers l'espace.

Maintenant, nous sommes en route. Pour le Poisson Austral.

Je me fais petit à petit à cette idée, ayant surtout eu grand-peine à me convaincre que je n'étais pas absolument fou et que tout était réel.

Sans doute les Xamlis ont-ils, depuis long-temps, découvert le secret de la navigation sub-spatiale, sans laquelle les grandes randonnées interstellaires seraient du domaine de l'utopie. Présentement, cependant, nous naviguons en plein espace.

Où ? Je suis un piètre astronome et il m'a été impossible de situer les constellations. Notre soleil ? Est-ce cette étoile ou cette autre ? Je ne sais.

Patrick me fiche la paix avec sa métaphysi-que depuis que je l'ai envoyé proprement pro-mener en lui déclarant que je protestais, que j'entendais être ramené sur la Terre, et qu'il ne compte pas sur moi pour aller à la recher-che de la nef immobilisée avec cette bande d'im-béciles. Il m'a fait doucement remarquer que, justement, je faisais partie de la bande en question et je lui ai tourné le dos. Impossible ! C'est impossible ! D'ailleurs, je n'ai jamais cru à ces transmigrations de l'âme ! Et je ne crois pas en grand-chose, au fait. Le monde est et je ne me pose pas de questions.

Il paraît (on me l'a déjà dit) que je suis un primaire.

Un primaire qui, pour le quart d'heure, écha-faude un plan.

Oui, j'ose imaginer que je puis m'en sortir. M'évader de cet astronef qui vogue en plein espace, peut-être à un nombre impressionnant d'années-lumière de ma planète natale.

Audacieux, n'est-ce pas ? Ou totalement lou-
foque !

Je ne voulais pas croire. Mais la boussole...
La boussole ! Si je m'en emparais, si je savais
m'en servir, comme s'en sert le pseudo-Patrick...
Revenir en arrière ! Retourner à la tour des
nuages et, comme nous l'avons fait pour le
second départ, revivre une séquence de temps.
Alors, au lieu d'accepter de suivre Patrick, je
refuserais. C'est aussi simple que ça !

A condition de m'emparer de la boussole. Et
de l'utiliser à bon escient !

Je pense. Je pense longuement. Et je me dis
que mon attitude actuelle est parfaitement idio-
te. Que je dois tout au contraire paraître en-
trer dans les vues de Patrick et des Xamlis, si
je veux obtenir un résultat. En ma faveur, bien
sûr !

Dès le prochain repas, où nous nous retrouverons, je serai tout miel.

Je ferai amende honorable. Je m'humilierai.
Je jouerai les bons apôtres !

Cela ne me ressemble guère, mais si je veux
retourner sur la Terre et y retrouver une vie
normale, et m'arracher à cette destinée effa-
rante...

Du courage, Guy Mathias. Tout n'est peut-
être pas perdu !

L'hôtesse m'a prévenu, d'un sourire. A ta-
ble !

Il va falloir jouer serré ! Mais je suis décidé
à tout !

VII

L'ombre se glisse au long des couloirs de l'astronef.

Un plan bizarre, ce navire spatial, et qui a de quoi dérouter un Terrien accoutumé à des engins interplanétaires conçus dans l'esprit des bateaux sillonnant les océans de sa planète.

Tout, en effet, évoque le labyrinthe. Parce que les compartiments sont littéralement encastrés les uns dans les autres, construits au départ en angles droits, ce qui donne à chacun une forme double. Il paraît que c'est pour des questions de sécurité, d'éclairage, chauffage, etc.

Toujours est-il que l'ombre hésite. Guy Mathias, en effet, encore qu'il ait déjà passé de longues heures à bord, a encore du mal à s'orienter.

L'avantage de ce dédale c'est qu'on peut s'y faufiler en évitant au maximum les rencontres.

Dès qu'il entrevoit une ombre à l'un de ces multiples angles, il se rejette dans un autre domaine.

Le jeune homme est soutenu maintenant par une décision sans appel : il doit s'emparer de la boussole. Ne lui appartient-elle pas ? Il l'a achetée de façon rigoureusement honnête. Et les Xamlis la lui ont dérobée, en la personne de Patrick, ce Patrick du Poisson Austral.

Patrick dont, par instants, la seule évocation le hérisse. Oh ! certes, il faut reconnaître qu'il est sympathique, séduisant. Trop. Bien trop. C'est d'ailleurs pour cela que, passant dans un couloir où est disposée une certaine porte, Guy Mathias ne peut s'interdire de grincer des dents.

C'est là, il le sait, le fief du seigneur Patrick, personnage de marque, il s'en est rendu compte, chez les Xamlis, à la fois peut-être par sa naissance et incontestablement par ses connaissances scientifiques étendues.

Mais il sait, et c'est là que le bât le blesse, que Patrick n'y est pas seul.

Qu'est-ce que ça peut lui faire ? Waïla... ? Mais Guy n'est pas épris de Waïla. Pour lui, ce n'est qu'une agréable camarade de travail que des circonstances totalement invraisemblables ont amenée à partager cette sorte de marche vers l'exil, l'exil d'au-delà des espaces immenses.

Lui pense aux siens. Sa famille. Ses amis. Et à Nathalie !

Si c'était Nathalie qui était chez Patrick,

il aurait de bonnes raisons de s'irriter... En fait, c'est le charme de ce damné garçon qui lui tape sur les nerfs. Lui-même se rend compte qu'il est attiré vers Patrick. Que Patrick obtient tout ce qu'il veut. Il est de ces gens qu'on aime, même s'ils vous énervent...

Patrick a réussi à le subjuguer, à l'entraîner dans la folle aventure, à lui faire croire qu'il était un ex-Xamlis réincarné en Terrien et que son devoir le plus évident consistait à aller au secours de Djel... De Djalm... De... C'est le diable que de ne plus parvenir à se rappeler le nom de la femme aimée !

Guy aime-t-il vraiment la fille aux yeux gris ? Qu'importe ! Et après tout, le fait que Patrick soit dans les bras de Waïla l'arrange fortement. Pendant ce temps, il ne surveille pas la boussole.

Guy sait où elle se trouve : au poste de pilotage. Parce que, tout naturellement, elle a été incorporée au matériel de l'astronef, comme si elle leur appartenait.

Guy est décidé. Il a, comme il l'a pu, endormi leur méfiance à tous, paru regarder d'un œil bienveillant, voire complice, le flirt et plus encore poussant Waïla à la recherche d'amours extraterrestres...

Une porte. Le poste. Guy n'y est jamais entré. En principe, il doit n'y avoir qu'un seul homme de quart, les robots assurant pratiquement la bonne marche du navire spatial.

Nécessairement, il doit y avoir un œil électrique. Le Xamlis sera alerté et les robots réagiront. Une seule solution : foncer, aller vite, très vite. La main sur la boussole, quelle puissance ! Parce que Guy a observé longuement le manège de Patrick, lorsqu'il s'est livré à plusieurs reprises à des essais promptement stoppés de reflux ou au contraire de lancées dans le temps, ce qui leur a révélé des choses assez surprenantes.

Et Guy a réussi à s'armer. Il a fait un brin de cour à Nora (ainsi a-t-il été décidé d'appeler la belle hôtesse-capitaine). Un nom de la Terre, qui sonne agréablement. Et on s'amuse à échanger des propos, tantôt en franco-terrien, tantôt en idiome xamlis. Le perfide Guy en a profité et, dans un baiser furtif, qu'elle n'a d'ailleurs guère repoussé, il lui a pris son arme. Il ne sait pas très bien s'en servir, d'autant qu'il en ignore les véritables effets. Tant pis ! Il risque le tout pour le tout. Il ne veut pas, à aucun prix, se retrancher de la Terre, de la tour des nuages, des siens, de Nathalie, laquelle, soudain, lui paraît infiniment plus précieuse depuis qu'il s'en éloigne à une vitesse fantastique.

Guy est jeune, ardent. Il ne manque pas de courage. Mais il faut dire la vérité, il n'a pas vécu jusque-là une véritable vie d'aventures. En dehors de deux ou trois voyages professionnels outre-Terre, c'est-à-dire jusqu'aux satellites artificiels et à la Lune, il n'a guère connu que ses fonctions de petit auxiliaire à la tour des nuages.

Mais les circonstances sont telles qu'il lui

faut bien réagir et trouver en lui assez d'énergie pour tenter une évasion.

Il y a l'arme subtilisée à la belle Nora. Pistolet thermique ? Bombe portative désintégrante ? Ou quelque chose d'approchant ? Il a saisi cela parce que c'était à sa portée et il se dit que, justement, quand Nora va s'apercevoir de la disparition de l'arme, elle la cherchera, jusqu'à ce qu'elle soupçonne l'auteur du larcin.

Il faut donc agir vite. De désagréables visions passent devant les yeux toujours attentifs de la pensée : Patrick prouvant la subtilité de sa virilité à l'exquise Waïla. Et cela porte son irritation à son comble, encore que ce soit une garantie de la non-ingérance de l'extra-terrestre dans son incursion.

La porte du poste. Fermée, bien entendu. **Comment l'ouvrir ?**

Frapper, tout bonnement ? Parfaitement ridicule. Chercher un système magnétique ? Quand on ne sait rien... Tout, ici, relève de la technique d'un autre monde et le pauvre Guy est totalement dérouté.

C'est alors qu'elle s'ouvre, cette porte. Devant un Guy légèrement tremblant, transpirant d'angoisse, la main crispée dans sa poche sur l'arme dérobée à Nora, une arme dont il ignore les véritables destinations.

Le pilote va sortir, peut-être est-ce l'heure de la relève. Que faut-il lui dire ? Comment justifier sa présence ici, d'autant qu'il y a de fortes chances que ce soit un de ces Xamlis toujours souriants qui ignorent tout des langues utilisées sur la planète Terre.

Non ! C'est un robot. Un des nombreux androïdes d'aspect assez inquiétant qui assurent à bord une grande partie du service.

Guy Mathias n'a pas le temps de réfléchir.

Il ne s'est donné qu'une consigne : faire vite. Alors, sans trop se comprendre lui-même, il tire l'arme et la braque sur le robot. Heureux, au fond, de ne pas se heurter à un homme, car il lui aurait fallu tirer, tuer peut-être, et cette seule idée lui fait horreur.

Il brandit l'arme, la manipule au hasard. Rien ne se produit.

Le robot braque vers lui ses yeux multiples, à facettes, faits pour être influencés visuellement dans un maximum de directions et déclencher une réaction automatique de circonstance.

Le pilote ? Sans doute à son poste. Guy ne le voit pas, masqué qu'il est, avec d'ailleurs l'ensemble du compartiment, par la large masse du robot.

Son cœur va s'arrêter. Rien. L'arme est donc inefficace ? Il est vrai qu'il n'a aucune idée de son efficacité et surtout de son maniement. Donc, ne réussissant pas à tirer, il la jette, sottement, au hasard, sur le robot.

Une formidable flambée d'étincelles !

Projeté en arrière par la déflagration, Guy a vu l'androïde qui semblait s'enflammer. Tout son thorax de métal était subitement porté au rouge et il irradiait littéralement de feux aux couleurs variées. Le tout dans un véritable rugissement mécanique. Un court-circuit monumental.

Pantelant, Guy a heurté la paroi du couloir. Mais il voit le robot qui se débat encore, chancelle, laisse la voie libre.

Il fonce, enjambe l'androïde démantibulé et fumant, perdant ses écrous, ses anodes, ses fils aux connexions désenchevêtrées, et se précipite à la recherche de la boussole. La boussole qui doit être là.

Elle y est. Il la voit. Placée à portée du pilote.

Le pilote qui est debout, effaré, surpris par la destruction de son robot. Mais un Xamlis qui ne perd pas son sang-froid et a lui-même brandi un instrument qui est, de toute évidence, une arme. D'autant que deux autres robots sont là et, de leur pas lent, méthodique, marchent vers la porte.

Ils étendent des mains griffues. L'une de ces mains agrippe le bras de Guy. Guy qui fonce comme un bélier, ne sent même pas la déchirure de sa manche et celle plus spectaculaire encore de **sa chair**.

Le bras est entamé et le sang gicle. Guy a réussi à passer entre les deux androïdes et tombe littéralement sur la boussole, bousculant le pilote qui vient de le reconnaître.

Le Xamlis éructe quelque chose dans sa langue et ce n'est sans doute pas un compliment à l'adresse de ce Terrien qui reconnaît bien mal l'hospitalité des cosmatelots du Poisson **Austral**.

Et il ajuste Guy avec son arme, dans un but vraisemblablement nocif.

Geste qu'il n'achève pas.

Parce qu'il n'y a plus un Xamlis adulte, solide, armé, mais un petit Xamlis de cinq ou six ans au plus. Un enfant xamlis, drôlement habillé d'une sorte d'anorak fourré, avec un bonnet pointu des plus comiques. Un bambin d'ailleurs charmant.

Et Guy, ahuri, regarde ce gosse.

Derrière le gosse, il y a un tas de ferraille. En regardant mieux, il constate que cette ferraille n'est nullement désuète, ni rouillée. Tout flambe neuf au contraire. Et Guy distingue des boulons, des vis, des plaques façonnées de métal et d'une matière évoquant le verre. Des fils, des sortes d'antennes...

Le petit garçon, ahuri, ne comprend rien et pleure. Mais Guy réagit alors qu'il voit venir vers lui le second robot. C'est-à-dire qu'il recommence son geste. Au hasard, comme le premier ! Pour éviter le coup que voulait lui porter le Xamlis, il a appuyé au hasard sur les touches de la boussole, sachant bien qu'il parviendrait ainsi à situer son adversaire dans un temps différent où, au moins, il ne serait pas en train de chercher à revolveriser, trucider ou désintégrer le malheureux arraché à la Terre.

Ce qui est arrivé. L'homme a été rejeté dans le temps jusqu'aux heureux instants de son enfance. Et le robot qui se trouvait dans la même zone, lui, s'est retrouvé à l'époque où on le

construisait. Ce que Guy a devant lui, ce sont
les éléments préparés pour fabriquer l'androïde.

Tout cela, il l'a compris très vite. Cependant,
il a tenté de réussir un autre coup aussi parfait avec le second androïde. Ce qui donne des
résultats tout autres.

Guy n'est plus sur l'astronef. Du moins, il
peut le croire. Il est sur un sol sableux, chaud
sous ses pieds. Le vent est brûlant et une lumière vive l'éblouit.

Il lève les yeux, voit un ciel pourpre où roulent plusieurs soleils. Le paysage est impressionnant. Des arbres courts, mais touffus et
épineux, portant des fruits énormes, qui paraissent vivre, parmi des fleurs tout aussi gigan-
tesques et animées de mouvements spasmodi-
ques. Des choses étranges rampent et volent et
il réalise que ce sont des sortes d'insectes
géants. Un essaim fond sur lui et il n'a que le
temps de manipuler la boussole. Parce que,
quel que ce soit le temps où il est projeté, ou
selon le cas où il projette quelqu'un ou quelque
chose, la boussole lui reste entre les mains.

Ruisselant de chaleur et d'horreur, il se retrouve dans le poste.

Le pilote est assis, accablé. Il a jeté son
arme et, la tête entre ses mains, visiblement
stupéfait du petit voyage qu'il vient de faire au
pays de sa jeunesse, il a totalement oublié,
semble-t-il, de s'en prendre à l'intempestif Terrien. (Intempestif à tous les points de vue.)

C'est alors que Guy voit bondir dans le

poste une femme demi-nue. Une femme bien
en chair qu'en tout autre lieu et heure il appré-
cierait volontiers.

Mais une femme furieuse. Une femme de
Xamlis. Et une femme de Xamlis en colère
ressemble à toute femme en colère de n'importe quelle Galaxie.

Elle avance vers Guy, les yeux hors de la
tête. Elle bute contre ce qu'on oserait appeler
le cadavre du premier robot. Elle voit le pilote
qui refuse désormais d'être dans la réalité et
continue visblement à se demander ce qui a
bien pu lui arriver. Se retrouver à trente ans
de distance dans la peau d'un garçonnet est, en
effet, une sensation curieuse et déroutante pour
un cosmatelot buriné sous les mille soleils du
voyage interstellaire.

Nora a compris, certainement. Guy se sent
paniqué. Car, cette fois, l'ennemi est d'importance et plus redoutable qu'une armée de robots.

Des robots, justement, il en existe encore
deux. L'un égal à lui-même, le second recons-
titué après un petit voyage rétro à l'époque où
on était en train de le construire et où il n'existait qu'à l'état de pièces détachées.

Ils n'en sont pas moins des adversaires de
taille qui prêteront main-forte sans retard à la
dame extraterrestre, laquelle fonce sur Guy
Mathias.

Un Guy Mathias qui commence à être blin-
dé contre les émotions et les aventures d'outre-
Terre. Aussi palpe-t-il, un peu maladroitement,

les commandes de la boussole. Il commence à les connaître avec un peu de bonne volonté, et il a observé la façon de faire de Patrick. Si bien qu'il sait comment obtenir un flash-back, général ou individuel, selon le cas.

Au moment où Nora bondit, prête à lui arracher les yeux ou autre gentillesse, il presse un bouton.

Il a à peine le temps d'entrevoir Patrick, tiré des bras voluptueux de sa dernière conquête, une fille de la Terre, et qui arrive à la rescousse, ce qui lui permet d'être saisi dans les radiations que Guy vient de libérer.

Guy ouvre les yeux, se demandant où il se trouve.

Eh bien, le revoilà à bord de l'astronef du Poisson Austral, entouré des Xamlis, de Nora, de Patrick, de Waïla. Cette fois dans le sas d'accès et non le poste de pilotage.

C'est-à-dire qu'il a appuyé mollement sur le bouton déclencheur et qu'on est revenu à l'instant précis où tout le monde arrivait à bord après avoir quitté la tour des nuages. Réception des nouveaux passagers. Sourire de Nora et des trois cosmatelots.

Tout le monde revit cet instant. Avec cette différence que le retour brusque dans un passé, fût-il récent, perturbe toujours quelque peu les esprits. On cherche à s'orienter. Waïla comprend mal, prend peur et se met à pleurer. Normalement, on devrait refaire les mêmes gestes, dire les mêmes mots, avoir les mêmes réactions.

Mais Patrick a déjà démontré à Guy, lors de la reprise du passage dans le vide entre la plate-forme de la tour et le sas de l'astronef, qu'il était possible, en repartant en quelque sorte de zéro, de modifier le comportement dans l'avenir.

C'est peut-être maintenant cette crise de larmes de Waïla, crise qui n'a pas eu lieu effectivement lors de la première arrivée, qui change tout.

Patrick, galant, et Nora, bienveillante, s'empressent au près d'elle. Guy, une fois encore, est un peu vexé que ce ne soit pas lui qui soit le premier auprès de sa coplanétriote. Il constate que, décidément, le beau Patrick du Poisson Austral ne revient dans le passé que pour recommencer à lui couper l'herbe sous le pied.

Les trois cosmatelots, en bons militaires disciplinés qu'ils sont, gardent une attitude déférente, attendant les ordres de leur chef direct, Nora, et aussi de ce monsieur de haute lignée (en leur monde) qui a amené les deux Terriens.

Si bien qu'on perd quelques instants, pendant lesquels, se reprenant vivement, Nora, un peu moins virulente, et Patrick, qui semble exaspéré, accablent Guy de reproches. C'est sa faute si on reflue ainsi, et justement si Waïla pleure. Il s'attendait bien à des semonces, mais ce dernier grief lui semble puéril en la circonstance.

Nora, laissant Patrick consoler Waïla (on peut changer dix fois de temps ça recommencera toujours) se tourne vers Guy et lui débite un discours (en xamlis) auquel il ne comprend rien sinon qu'elle doit le traiter de tous les noms d'oiseaux en usage sur sa planète et même quelques autres.

C'est alors qu'éclate le signal d'alarme, ramenant tout le monde à la réalité, les arrachant à cette sorte d'état second occasionné par ce reflux vers le passé dont les agissements de la boussole sont coupables à chaque expérience.

Ils en avaient oublié ce qui s'était déroulé la première fois, à savoir que les astronefs O les guettaient.

Or, à la première séquence temporelle, Patrick et Nora ont réussi à revenir en arrière, à changer leurs plans, à modifier le comportement de l'astronef qui, au lieu d'attendre l'adversaire et de demeurer dans les régions stratosphériques, leur a échappé en plongeant vers les profondeurs océaniques.

Oui, mais on avait gagné du temps. Et cette fois, le reflux étant involontaire et ayant surpris et dérouté tout l'équipage, on en perd !

Un temps que les O, se retrouvant là logiquement, mettent à profit.

Les Xamlis n'ont guère le temps de se mettre en état de défense, d'autant que le petit vaisseau spatial n'est nullement conditionné pour les grands combats. En peu d'instants, il se trouve coincé entre les deux navires ennemis et vingt O armés jusqu'aux dents investissent promptement leur proie.

Les Xamlis tentent bien une résistance qui se solde par un baroud d'honneur où deux d'entre eux sont tués. Patrick se bat, à mains nues, avec un courage, une dignité qui remplissent Guy d'admiration. Un Guy qui ne sait trop quelle attitude adopter, se demandant s'il faut opter pour les Xamlis ou pour les O.

Nora, qui s'est débattue, elle aussi, est neutralisée. Waïla est protégée par Guy qui, en Terrien galant, lui fait un rempart de son corps, tout en se disant que par-dessus son épaule elle regarde Patrick.

Guy sait bien que sa protection n'est que symbolique. D'ailleurs, les O paraissent maintenant peu hostiles. Ils sont tous blonds, glabres, ont des yeux bizarrement incolores où on ne distingue ni pupilles ni iris, ce qui leur donne un faciès malgré tout un peu inquiétant.

Et Guy, bien sûr, garde la boussole entre les doigts.

Cette boussole sur laquelle, tout à coup, Patrick se rue, échappant aux O qui le maintiennent.

Il l'arrache aux mains du Terrien qui ne songe pas à résister et, vite, très vite, appuye sur une commande.

Guy est saisi d'un prodigieux vertige.

Et sans doute aussi Patrick. Waïla, Nora, tous les O et les Xamlis captifs.

Et tout l'astronef enrobé dans les radiations.

Il n'y a plus, quelque part près de la tour des nuages, que deux vaisseaux spatiaux venus du Poisson Austral et appartenant à la race des O.

Parce que le navire xamlis et tous ceux qu'il porte ont été littéralement effacés de cette

zone surplombant l'océan Atlantique de la planète Terre.

Le geste désespéré et peut-être très adroit de
Patrick a changé le temps dans lequel vient de
se dérouler la capture de son astronef. Si bien
que lui et ceux qui l'entourent sont précipités
quelque part dans le continuum cosmique.

Dans l'avenir ? Dans le passé ? Dans quel ailleurs ? Vers quel abîme ?...

DEUXIÈME PARTIE

SYMPHONIE POUR UNE PLANÈTE

VIII

Étranges sonorités... Est-ce cela qui m'a réveillé ?

Réveillé ? Je dormais donc ? Ou plus exactement : nous dormions ?

Je reviens à moi, et je ne suis sans doute pas le seul dans ce cas. Un peu éberlués, comme chaque fois que la boussole du temps fait des siennes, nous nous retrouvons, nous nous comptons.

Waïla est là. Et Nora. Une Nora dont l'œil reste enflammé en se dirigeant vers moi. Et Patrick. Et encore un personnage certainement bien plus surpris que nous tous et qui ne doit pas du tout comprendre ce qui lui est arrivé. Un O.

Un seul O. Mais où sont tous les autres ? Et les Xamlis ?

Et l'astronef ?

Où sommes-nous ? On commence à échanger quelques mots. L'O nous regarde, si je puis dire, car ses yeux sans prunelles, sans iris, ne semblent pas refléter une âme. Et sans doute ignore-t-il tout, non seulement des langues de la Terre, mais peut-être aussi de l'idiome des Xamlis.

Les vibrations passent sur nous. C'est agréable, lénifiant. C'est cela qui nous a ramenés à la réalité. Parce que c'est bien réel. Nous vivons ! Nous sommes !

Où ? Dans un de ces innombrables mondes qui fourmillent à travers le cosmos, projetés par le geste de désespoir et de salut dont Patrick s'est rendu coupable.

Patrick qui tient la boussole entre ses mains, qui sourit à Waïla, et qui doit se reprendre, lui aussi, qui entame une discussion rapide avec Nora.

Le cosmatelot O tourne vers nous, alternativement, ce qui lui sert d'yeux.

Sans cette particularité, il serait un humanoïde comme tous ses frères cosmiques. Victime en même temps que nous de cette projection intemporelle, il ne doit plus savoir si nous sommes des ennemis.

J'échange quelques mots avec Waïla. Elle se met à pleurer, ce qui lui est coutumier et

constitue d'ailleurs un argument féminin. Je
reste donc dans mon isolement jusqu'à ce que
Nora me désigne d'un index vengeur.

Patrick, lui non plus, n'a pas l'air tellement
bien disposé à mon égard. Et Waïla, à son
tour, cesse de pleurnicher pour me dire, en bon
franco-terrien, tout le bien qu'elle pense de mes
agissements, de ma sottise, de ma vanité, des
évidentes qualités négatives qui m'ont été données à profusion dès le berceau et grâce auxquelles nous nous retrouvons...

Sur une planète évidemment. Climat doux.
Ciel bleu pâle, presque blanc. Il y a des arbres,
des prairies. On entrevoit quelque chose qui
brille et qui doit être un lac, ou peut-être une
mer. Des oiseaux passent et dans cette végétation on devine une vie animale intense. Feuillages bruissants, bruits de pattes, cris étranges,
ondulations reptiliennes. La vie, au moins, existe si rien jusqu'à présent ne laisse discerner
la présence de l'homme. A perte de vue, un
paysage vierge. Pas de ville. Aucun appareil.
Mais nous avons peut-être touché une zone
peu fréquentée.

Patrick parle, avec netteté, résume la situation :

— Regardez ! On voit deux soleils. Nous
vivons et c'est l'essentiel ! Il me semble que
nous pourrions tenter, grâce à la boussole,
de nous transporter jusqu'à Xamlis... Seulement, j'ignore totalement où nous sommes et
je n'ai rien pour faire le point...

Il parle à Nora et sans doute lui redit-il à

peu près là même chose. Et je la vois qui explose, qui reprend sa colère du poste de pilotage. Elle me saute dessus et je reçois une magistrale gifle. Elle m'octroierait volontiers la paire car je me sens mal à l'aise pour me défendre contre une femme, lorsque Patrick intervient. D'une poigne ferme, sans brutalité, il la retient et lui parle. Je ne comprends que très mal le xamlis, n'ayant pu l'assimiler en si peu de temps de présence à bord de l'astronef. Du moins, je me rends compte qu'il plaide ma cause, qu'il cherche à m'excuser, mieux, à me justifier.

Et Nora semble s'apaiser. Elle est moins hostile et hoche la tête comme si elle admettait. Waïla ne m'a guère regardé, sinon quand je lui ai parlé et elle a été, avant de fondre en larmes, sèche et désagréable. Les deux femmes de deux mondes m'accusent. Je serais bien mal loti sans l'intervention du beau barbu.

Je dis souvent qu'il me crispe. Et pourtant, quel gars ! Aussi bon, sans doute, qu'il est courageux et fort.

A-t-il réussi à me faire passer pour moins coupable aux yeux des deux représentantes du plus beau sexe de l'univers ? Je ne sais, mais il se préoccupe déjà d'un autre problème. Car nous avons un compagnon : le cosmatelot ennemi, du moins qui appartenait au monde ennemi avant notre chute à travers l'immensité. Il lui parle, avec difficultés, mais j'imagine qu'il connaît tout de même un peu la langue des O. Et l'O répond, d'une voix gutturale, grave, très virile. Son visage aux yeux pâles s'anime. Maintenant, grâce à l'intervention de Patrick, je devine que cela va mieux. Il a l'art d'arranger les choses et la belle Xamlis (je dois admettre que c'est une belle créature en dépit de ma joue qui me cuit) tend la main à l'antagoniste de sa planète. Un lien est créé.

Waïla a suivi tout cela et je l'entends dire :

— C'est merveilleux, Patrick... Grâce à vous, nous voilà tous d'accord !

Elle ne voit jamais plus loin que le bout de son petit nez. Mais cela ne modifie en rien notre situation.

L'armistice semble donc signé. Seulement, il faut tenter de savoir où nous avons été précipités.

Une fois encore, nous entendons, mais très loin, les mystérieuses vibrations.

Instinctivement, nous prêtons tous l'oreille. C'est un ensemble de sons variés. Très divers, mais jamais discordants. On jurerait une symphonie, du moins un fragment de symphonie, écrite pour des instruments inconnus, très sensibles, donnant des harmoniques très graves ou très aiguës. De la basse spectrale à la haute fréquence, si je puis risquer cette comparaison entre la voix humaine et l'instrumentation la plus technique.

On tient conseil. Tout le monde est très las. Moi, je me sens malgré tout peu à l'aise. Ce qui est arrivé, après tout, c'est bien ma faute. Alors, il est nécessaire que je ne perde pas absolument la face. Je veux paraître, vis-à-vis

des deux femmes, la Terrienne et la Xamlis.
En dépit de l'intervention de Patrick, je n'ai
pas le beau rôle. Le O, lui non plus, ne doit
pas me porter dans son cœur, s'il a plus ou
moins compris, à l'attitude des charmantes
créatures, que j'étais à l'origine de ce transfert
inattendu.

Je propose donc un petit voyage de reconnaissance.

— Mais vous êtes las, dit Patrick. Nous sommes tous perturbés par notre lancée et j'imagine que nous sommes loin, très loin de la
Terre et du système solaire des Terriens. Et
aussi du Poisson Austral, ajoute-t-il en soupirant. Vous feriez mieux, comme nous, de vous
reposer...

Mais je m'obstine. Je déclare que je prends
mes responsabilités. Qu'ils se détendent tous,
moi, je vais aux découvertes. Je tâcherai de
reconnaître ce monde et aussi je chercherai
de quoi nous sustenter. Car il va falloir songer
à survivre.

Petit discours en langue terrienne, aussitôt
transcrit oralement par Patrick.

Ni Waïla ni Nora ne semblent plus me regarder avec haine et mépris. Et l'O, averti à son
tour, m'offre sa face sans regard. Mais je le
vois sourire.

Je leur fais à tous un signe de la main et je
me mets en route. Bravement.

En fait, je prends sur moi. Je suis littéralement claqué de fatigue, fortement ébranlé par
nos transmigrations inter-temps et inter-espace.

Même si cette planète ne semble pas hostile, je vais vers l'inconnu. Ce qui me soutient, c'est le souci de conserver un peu de dignité vis-à-vis de mes compagnons, et puis, si c'est possible, de me faire pardonner... Car, même avec la boussole, comment retrouverons-nous les mondes d'où nous venons ? Ces voyages fantastiques demeurent très fantaisistes.

Je quitte le petit groupe et m'engage dans une sorte de petit bois. Tout de suite, je réentends les sons harmonieux.

Cela paraît venir du haut d'un arbre au tronc élancé, supportant une touffe de feuillage un peu à la façon des palmiers terrestres. Je cherche à voir mais il n'y a rien. Je me mets en marche. Cela récidive un peu plus loin. Toujours rien de visible. Je marche. Des animaux, sans doute, mais qui se faufilent sous les buissons à mon approche. Je n'aperçois que des oiseaux qui passent très vite au-dessus des frondaisons. Je repère des fruits et, ma foi, je me risque. Je mords.

Tiens, mais c'est bon. J'en ramènerai au camp et j'obtiendrai peut-être un semblant de sourire de la part de mes deux harpies.

Je marche. Les sons. Je cherche maintenant à analyser. On dirait ce qu'on nomme, dans un orchestre, les bois. Vibrations évidemment à partir du végétal. D'autre part, il y a certaines percussions qui évoquent justement le tam-tam ou la grosse caisse. Ce n'est jamais brutal, mais doucement rythmé et fort agréable à l'oreille.

Pas de doute, cela vient de la forêt elle-même. Je ne distingue aucun être humain ou animal et on jurerait que les sons émanent des arbres eux-mêmes.

J'avance dans un ruissellement sonore, une musique barbare, mais équilibrée.

Un peu exaspérante, cette invisibilité du ou des musiciens mystérieux. Ai-je affaire à quelque oiseau moqueur ? Ce serait l'hypothèse la plus logique. Mais je continue à marcher sans parvenir à discerner la plus petite trace de vie.

Sons et vibrations, harmoniques et accords, le tout à partir du bois.

Il semble donc qu'on utilise la nature même de la forêt. Je m'y perds. Je m'aperçois que, obnubilé par cette mélodie de l'inconnu, j'en oublie de me repérer et de situer les points intéressants : ceux où abondent les fruits. Car je n'oublie pas notre situation : nous sommes dans un monde ignoré que nous aurons sans doute toutes les peines du monde à situer. Et même si nous y parvenions, serait-ce la solution ? Comment sortir d'ici ? L'astronef s'est volatilisé avec son équipage et les Xamlis envahisseurs.

Il y a bien la boussole, mais j'ai comme une vague idée que Patrick du Poisson Austral, dorénavant, ne l'utilisera qu'avec la plus grande prudence. Nous risquons ni plus ni moins, les uns et les autres, d'être projetés dans un autre univers, et séparés. Cette seule évocation me donne froid dans le dos. Waïla et Nora ne me sont que relativement favorables. L'O peut me considérer comme ennemi. Patrick ? Je me dis qu'il joue peut-être un jeu, et que sa générosité de surface peut avoir pour raison ce besoin qu'il a de m'utiliser pour secourir la nef immobile... Encore qu'elle se soit perdue depuis trois siècles !...

J'avance. J'entends toujours mon guide invisible. Les troncs résonnent, j'en ai à présent la certitude, sous des caresses, des pincements, des percussions provoquées invisiblement. « Il » progresse devant moi. Pour me diriger ? Ou seulement afin de m'épier, de savoir qui je suis, où je vais, ce que je viens faire dans ce monde qui est le mien ?

Mais, devant moi, les frondaisons s'éclaircissent. Je suis au bout de ces bois, assez touffus, fleuris, parfois épineux et impénétrables, mais où abondent ces fruits comestibles qui m'ont réconforté et me permettent de croire qu'ils nous aideront à subsister en attendant... En attendant quel salut ? Quel envol vers la Terre ? Ou Xamlis du Poisson Austral que Nora et Patrick préféreraient sans doute rallier.

Où est la tour des nuages ? J'étais si tranquille. Et j'évoque souvent Nathalie. Je n'ai pas apprécié cette fille à sa juste valeur. On me rétorquera qu'il est bien temps de s'en rendre compte. Quant à cette folle passion pour la créature aux yeux gris, je me demande si elle n'existe pas seulement dans l'imagination de Patrick. Il est vrai qu'il y a ce cosmatelot xamlis, qui me ressemble, sinon qui est moi-même...

Mais l'orée du bois approche et le cours de mes pensées se détourne.

Une prairie ? Du moins un espace non boisé. J'avance et je découvre ce que je crois tout d'abord un village, avant de m'apercevoir qu'il ne s'agit que d'un champ de ruines. Ce qui prouve, tout au moins, que la vie humaine a existé ici, si même elle a disparu de la planète.

Oui, une petite ville. Effondrée sans doute depuis des siècles, des millénaires. Quelques murs bas, très réguliers. Quelques vagues bas-reliefs où je découvre avec avidité des silhouettes humaines et animales. Un peuple évolué a bâti cela, mais tout est à demi enseveli sous la terre, la poussière, et des plantes vivaces submergent en grande partie ce qui reste des constructions.

Là encore, des bêtes vivent et s'enfuient à mon approche, ce qui démontre au moins que ce ne sont pas de dangereux fauves. J'entrevois à peine ce qui ressemble à des mammifères de la taille d'un petit veau, mais mouchetés ou rayés.

Des oiseaux s'envolent. Très jolis, mais eux ont des allures de rapaces et je me dis qu'il faudra s'en méfier. D'autant qu'à ma connaissance nous ne possédons pas d'armes. A moins que l'O n'ait conservé son équipement.

Je marche. Le silence des villes mortes. Les deux soleils dardent. A mon approche, la gent animale ne se manifeste plus.

Vibration, longuement répercutée, harmonieuse...

Comme c'est séduisant ! Je lève la tête et j'aperçois, à quelques centaines de mètres au-delà des murs écroulés et ensevelis par les feuillages, plusieurs colonnes plus ou moins tronquées. Une place ? Un palais ? Ou ce qui en reste, sans doute. Je m'empresse de me diriger de ce côté.

J'y parviens après quelques détours et j'entends, de mieux en mieux, cette enivrante musique. Car maintenant, c'est mieux que cent violons, que cent harpes, que cent hautbois. Impossible de dire de quoi il s'agit, mais je suis envahi de cette symphonie merveilleuse. Maintenant, ce n'est plus seulement le bois qui murmure, il y a aussi certainement le métal, mais un métal doux, qu'on jurerait vivant.

Et d'autres éléments de base qui m'échappent. Et tout cela est délicatement harmonisé, par quelque Haydn ignoré, quelque Mozart inconnu, quelque Berlioz de nulle part...

La musique ruisselle sur moi alors que j'atteins ce qui est en effet, ou a été, une vaste place au centre des constructions. Là, les colonnades s'élèvent encore.

Je demeure persuadé que cette cité est abandonnée, déserte depuis un laps de temps immémorial. Mais ces colonnes demeurent, orgueilleuses, d'une rare élégance, marquant je ne sais quel symbole mystique. Alentour, les artères s'amorcent, formant une étoile aux branches multiples. Mais je ne m'y reconnais plus. Je ne sais même pas d'où je suis venu. Je commence à me rendre compte que la ville formait un véritable labyrinthe, dont cette place occupe peut-être le centre.

Je réalise cela vaguement. Parce que je suis au concert. Un divin concert où toute la cité chante. Est-ce en ma faveur ? Pour me souhaiter la bienvenue ?

Vais-je oublier que je viens d'un autre univers, que je ne sais même pas où je suis, que j'ai promis à mes compagnons d'infortune de reconnaître les lieux ?

Je m'efforce de m'arracher à l'enchantement et je regarde les colonnes.

Maintenant, ce sont elles qui vibrent. Du moins semblent-elles constituer l'instrument dont se servent les mains invisibles qui exécutent la symphonie immense, universelle, qui emplit les airs et paraît monter vers les deux soleils.

Je me risque vers ce qui semble le centre de la formation. Certains éléments de la colonnade sont en partie effondrés, mais il y en a encore une bonne quinzaine qui s'élèvent, plus ou moins effritées. Et les sons s'y répercutent, paraissent y jouer. Il semble que des mains insaisissables glissent tout au long, caressent, frappent plus ou moins légèrement, enlacent, piquent, pincent et caressent encore.

J'ai le vertige, le vertige merveilleux des mélomanes.

Jusqu'à ce que la fausse note fasse tout craquer. Et c'est la débandade. Il a un instant, bref, très bref, de stupeur. Comme une indignation mêlée de terreur.

Et les cris, la cacophonie, le vacarme barbare et vulgaire succédant à l'harmonie parfaite. Je me bouche les oreilles tant cela me fait mal. Mais je cherche à saisir et, petit à petit, je parviens encore à déchiffrer ce langage musical. Je discerne les accords justes et profonds, les arpèges aériens, perturbés, offensés, mutilés par d'atroces percussions dysharmoniques.

Alors, affolé, je réalise.

Il y a, autour de moi, un peuple. Des vivants. D'invisibles vivants.

Un monde hospitalier, généreux, affable, qui a accueilli l'étranger que je suis, et lui a manifesté ses souhaits de bienvenue.

Et puis un ennemi. Un malfaiteur. Un peuple adverse, peut-être. Des vandales qui déclenchent, eux, l'antagonisme de l'harmonie par le désordre musical, par l'iconoclastie, la destruction, la perturbation. Je les sens autour de moi les uns et les autres. Ils vont, viennent, glissent jusqu'à me toucher. Je les perçois jusque dans ma chair. Tout mon être vibre, déchiré entre les Harmonieux qui tentent de me prouver leur amour par d'étranges caresses voluptueuses et tendres, et ces barbares qui mordent, griffent, déchiquètent, meurtrissent de toutes leurs forces sonores.

Je suis au centre d'un immense auditorium où des contestataires entravent l'exécution d'un grand concert. Je ne puis trouver meilleure comparaison, mais tout cela me met au supplice. Je veux m'enfuir, je trébuche, je me heurte aux magnifiques colonnes. J'ai mal ! Je voudrais prendre partie pour mes amis Harmonieux et je suis la proie des affreux Discordants. J'ai mal ! J'ai mal ! Dans ma tête, dans ma poitrine, tout au long de mes membres et jusque dans mon sexe, c'est le heurt entre deux tendances contradictoires : le calme et la fièvre, l'euphorie et la souffrance, la détente et la folie, tout vibre et chante et gronde et pleure en moi...

Affolé, comme une bête traquée, je m'effondre au centre de la place, tandis que mes amis continuent à sangloter dans ma chair et que l'ouragan cacophonique passe sur nous, comme le vol maudit d'un noir essaim de djinns...

IX

Drôle de planète que celle où nous avons échoué ! Deux soleils l'éclairent, et leurs évolutions, leur action combinée sur cette terre font que la nuit et le jour y paraissent parfaitement déréglés. S'il y a des astronomes quelque part en ce monde, ils doivent se casser la tête quand il s'agit d'établir le calendrier. Tantôt c'est le plein jour, souvent très chaud, mais un jour qui n'en finit pas. Ou bien une journée rapide, le cédant à une nuit également, selon le cas, interminable ou plus que brève. Et la période crépusculaire règne fréquemment. Les aurores, en revanche, sont les plus fréquentes, naissant de l'astre double, et enchanteresse. Un univers animal et floral s'éveille, agrémenté de ces sons charmeurs qui m'ont été révélés lors de ma première incursion. Le peuple invisible est là, et nous redit sa gentillesse, ses souhaits de bienvenue...

Je fais allusion à ma première incursion. Comment en suis-je revenu ? Après que l'ouragan sonore ait enfin achevé ses hurlements, ses mugissements, ses cris horrifiques et ses plaintes abominables.

Je suis resté prostré, entendant toujours dans le déchaînement furieux des Discordants le faible gémissement d'un Harmonieux qui semblait terrorisé, mais essayait encore de protester.

Et puis il y a eu l'apaisement. Petit à petit, comme après un orage, la vie a repris ses droits. Il y a eu quelques timides appels modestement sonores, puis les Harmonieux se sont encouragés et finalement la symphonie a repris.

Moi, j'aurais voulu communiquer avec eux, leur parler, partager leur joie de vivre. Mais je me sentais gauche, désarmé. Finalement, j'ai repris, ou voulu reprendre, le chemin du retour.

Je me suis aperçu alors, non sans un certain effroi, que cette cité ensevelie prétendait ne pas me laisser partir.

Chaque fois que je m'engageais dans une ancienne artère, parmi les ruines et les amas végétaux, je croyais tourner en rond et je revenais inlassablement à la grande place où se dressaient les colonnes, ces colonnes qui, dans une certaine mesure, devaient servir d'antennes à la grande symphonie des Harmonieux.

Le soir venait. Un soleil s'est couché, puis l'autre. La nuit s'étendait et je me sentais bien peu à l'aise, d'autant que maintenant c'était la faune qui s'éveillait. Je percevais des feulements, des sifflements qui ne me disaient rien qui vaille. Et ces oiseaux aux allures de rapaces tournoyaient au-dessus de la cité. Me guettaient-ils ? Les nocturnes ont de bons yeux, on sait cela sur toutes les planètes.

Je commençais à m'énerver. Je m'orientais, comme je le pouvais, mais les astres s'étaient effacés, du moins les diurnes. Les étoiles ? J'étais incapable de lire ces constellations, parfaitement ignorées de moi. Et je commençais à courir à travers cette ruine immense, je me perdais dans ce dédale et je revoyais à chaque reprise les colonnes qui dominaient. Mon cheminement aboutissait immanquablement à ce centre d'où il m'était impossible de m'évader.

J'ai tenté à plusieurs reprises d'escalader un mur, de scruter l'horizon. Ce qui m'était peu aisé en raison des ténèbres grandissantes. Les oiseaux passaient toujours. Ils me semblaient de plus en plus près du sol, soit de ma faible personne. De quels vampires serais-je la proie ?

A un certain moment, pleurant de rage et de désespoir, je m'assis, accablé, sur une stèle renversée et mangée de mousse et de lichen.

Je tentais de réfléchir. D'où suis-je venu ? Ai-je déjà vu ce carrefour, ce pan de mur ? Ces bas-reliefs ? Mais ils se ressemblent tous. Et puis j'y voyais de moins en moins.

C'est alors que j'ai entendu l'appel sonore.

Un gentil petit son modulé, comme une parole tendre. Je levai la tête.

Rien de visible, naturellement. Mais je devinais un Harmonieux.

J'attendis un instant. Cela récidiva. Deux fois. Alors je me levai et me dirigeai vers le point approximatif d'où naissait la vibration.

Nouvel appel, un peu plus loin, sur ma gauche. Je m'y rendis.

Comme si on m'attendait, cela se manifesta à partir de l'instant où je fis halte, ne sachant plus où aller. Je repris la direction indiquée. Et, à partir de ce moment, je compris, le cœur soudain gonflé d'espoir et de gratitude envers l'Harmonieux.

Un guide ! C'était un guide.

Un guide musical, qui me montrait mon chemin. Je marchais vers le point indiqué. Il attendait que je stoppe pour faire vibrer sa mystérieuse nature. Et moi, je repartais, je le suivais, à la trace, si je puis dire, mené par cette étoile harmonieuse et invisible.

C'est ainsi que je me retrouvai hors de la cité, que je reconnus le bois que j'avais traversé. Alors le guide inconnu s'enfonça dans la forêt. Mis en confiance, je me risquai sous les taillis. Par bonheur, les astres étaient abondants et scintillaient au-dessus de ma tête. J'étais à bout de force mais j'avais repris confiance grâce à ce compagnon énigmatique, que je ne pouvais considérer autrement que bienveillant, très bienveillant...

Le jour, le jour doublement solaire se levait quand je rejoignis le camp.

Je crus discerner quelque chose, dans le comportement de Nora et de l'O. Mais j'étais si fatigué... Je balbutiai quelques mots, m'étendis et m'endormis.

Ce ne fut qu'à mon réveil que je pus enfin narrer mon aventure. On m'écouta avec la plus grande attention et Patrick se fit l'interprète de tous pour me remercier, me féliciter. J'étais un peu réconforté. Les deux hommes décidèrent alors de partir vers la forêt, pour récolter des fruits dans la zone que j'avais repérée. Nora voulut les accompagner et j'eus la confirmation de mon observation de la veille. Le cosmatelot O l'intéressait prodigieusement.

Je restai à me reposer auprès de Waïla. Elle avoua qu'elle ne regrettait pas trop la Terre ni la tour des nuages. Elle n'y avait que peu d'attaches, et plus de famille. Sans doute Patrick lui suffisait-il désormais. Je m'abstins sagement d'aller plus avant. En revanche, Waïla ne me cacha pas que Nora n'avait pas attendu pour tomber dans les bras de l'O. L'ennemi héréditaire et interplanétaire de Xamlis avait remporté bien vite cette victoire. Je me dis que, dans un certain sens, il avait dû profiter de mes maladresses. J'avais entamé un brin de cour envers Nora. Mais ce n'était que dans le seul but de reprendre la boussole et je n'y avais que trop parfaitement réussi. Seulement, elle devait me garder une dent. Peut-être avait-elle cru à ma sincérité. Les femmes ne pardonnent guère ce genre de perfidie, dont cependant elles sont coutumières. J'avais joué les séducteurs, plus que piètrement. L'O prenait glorieusement ma succession.

Plusieurs jours de la planète se succédèrent, avec cette arythmie qui nous déroutait. Nous nous étions organisés. Les anciennes querelles étaient oubliées, ou paraissaient l'être. On parlait un peu en franco-terrien que Patrick connaissait admirablement et aussi en xamlis. Waïla et moi reprenions notre étude et l'O s'y était mis à son tour, très bien dirigé par Nora qui était plus que tendre à son égard. Et je voyais bien qu'elle me défiait ainsi, me faisait muettement comprendre qu'en ce qui la concernait, j'avais manqué le coche... ou l'astronef !

On avait construit un semblant de hutte de branchages. Nous envisagions une expédition lointaine, pour explorer la planète. Ces ruines attestaient la vie humaine et elle n'avait peut-être pas totalement disparu. Les animaux devenaient familiers. Les rapaces menaçaient mais n'attaquaient pas. Et les Harmonieux nous avaient, à plusieurs reprises, régalés de leurs chants inarticulés, mais toujours enchanteurs.

Patrick travaillait longuement sur la boussole. Il assurait qu'il commençait à en comprendre les secrets et nous affirmait qu'à un certain moment il serait en mesure de nous expédier, tous ensemble, vers Xamlis du Poisson Austral.

Certes, c'était bien loin de la tour des nuages, mais ça valait sans doute mieux que de demeurer sur ce monde inconnu.

Ce qui gênait surtout Patrick dans ses calculs, ses estimations, c'était précisément cette ignorance totale de notre position. Où étions-nous ? Impossible de le savoir sans instruments de bord.

En attendant, il faut vivre et l'abondance des produits végétaux naturels est bénéfique. Les pluies fréquentes, brèves et abondantes favorisent leur évolution sous le double soleil. La hutte, quoique rudimentaire, nous abrite convenablement.

Dans un jour ou deux, nous partirons en reconnaissance. Ce jour, Nora propose un bain dans cette mer proche, une mer sans marée au-dessus de laquelle voltigent de curieuses créatures amphibies munies d'ailerons et qui ne paraissent pas dangereuses.

Waïla bat des mains comme une gosse qu'elle est. Ktis (c'est le nom approximatif de cet O devenu l'amant de Nora) approuve de la tête, commençant à assimiler le xamlis. Patrick est d'accord et moi je n'ai qu'à suivre le mouvement.

On se retrouve dans une vaste crique où le rivage arrondi, bordé d'un sable curieusement rouge ici et blanc là, offre un aspect séduisant. Bien sûr, si les vieilles haines meurent, la pudibonderie n'est plus non plus de mise et chacun se met dans le plus simple appareil pour aller faire trempette.

Je regarde d'abord les deux couples. Patrick tient Waïla par la main et Nora fait de même avec Ktis. Ces quatre personnages, sous le ruissellement solaire, expriment une joie de vivre égale à elle-même sur toutes les planètes, sous tous les soleils fussent-ils multiples.

Moi, j'avance. Je me sens plus seul, plus isolé que jamais. Je pense à Nathalie et je mesure combien j'ai été superficiel, indifférent vis-à-vis de cette fille qui en vaut une autre. Dans un groupe de cosmatelots jetés sur une planète, cela ne me toucherait pas, chacun étant logé à la même enseigne. Mais ici, après cette lancée inter-temps et inter-espace, je ressens tristement ma situation en face de ces quatre personnes qui ont réussi à se retrouver deux par deux en dépit d'une position invraisemblable.

On nage, on s'ébat, on se jette à l'eau. Moi, je les regarde, un peu à l'écart. Ils ne songent guère à moi, semble-t-il, et au bout d'un instant, mélancolique ô combien, je me retire sur le sable bicolore.

Les deux femmes, qui décidément s'entendent très bien, marchent près de la rive, bavardant et riant. Des vaguelettes déferlent sur elles et je compare les formes graciles, élancées, de Waïla, sa peau claire tachetée de léger écarlate avec la chair pleine et ferme de la Xamlis, infiniment plus foncée telle une idole de vieil or.

Je n'avais jamais songé à courtiser Waïla et je me dis que Patrick ne doit pas s'ennuyer. Quant à Nora, je mesure ce que j'ai perdu avec mes imbécillités. Ktis, l'O, tourne vers moi son faciès. Bien sûr, de tels yeux ne reflètent rien mais je me dis qu'il doit un peu ironiser. Lui aussi, pour l'instant, est un heureux mortel.

Je soupire. L'O est un gaillard solide, un humanoïde sportif et puissant. Et un peu plus loin, je découvre l'homme du Poisson Austral.

La nudité ne le dessert pas, au contraire. Je me souviens, lors de sa première apparition, de l'avoir comparé à Neptune. Eh bien, dans le décor marin, c'est tout à fait de circonstance. Non seulement il a un corps athlétique des plus harmonieux, mais encore, ruisselant comme il est, il offre une barbe élégante qui, ponctuée de gouttelettes, lui fait un curieux collier de lumière.

Une lumière qui projette des milliers de perles sur les corps des deux femmes, déesses charnelles que les vagues caressent avec une volupté de fauve qui fait patte de velours. Face au solide Ktis, au superbe Patrick, toutes deux évoquent tous les enchantements érotiques et je m'entends soupirer de plus belle.

Patrick est venu vers moi. Il m'a fait tout d'abord un signe amical de la main, puis s'est approché.

— Tu es triste, Guy ?

Nous avons décidé, les uns et les autres, de nous tutoyer à la mode xamlis.

Je hausse les épaules. Il me donne une tape fraternelle et dans son bon sourire, je devine qu'il a compris ce qui se passe en moi. Diable de garçon, qui me perce toujours de son esprit lucide, trop lucide...

Mais un incident des plus agréables nous distrait. Les Harmonieux font leur entrée. Invisibles et présents, les voilà qui semblent chantonner autour de Nora et de Waïla. Patrick, Ktis et moi, nous regardons, extasiés...

Les sons mélodieux paraissent venir de la mer et au bout d'un moment nous remarquons qu'ils semblent synchronisés avec le mouvement des vagues. C'est un ressac symphonique qui enrobe nos deux ondines. Et je jurerais également que ces créatures impalpables enveloppent leurs corps de leurs effluves sonores. La plantureuse Nora est cernée de profonds accords tandis que des trilles plus légers ondulent sur les seins délicats de Waïla.

Ils sont là, ils sont nos amis. Et nous ne pouvons les voir. Mais leur présence est réconfortante.

Un peu après, Waïla court après des fleurs éclatantes qui croissent à l'envi sur les buissons proches de la rive. Patrick l'appelle, elle lui montre d'autres fleurs et s'éloigne encore. Puis nous distinguons nettement un appel vibrant, très sonore, venant de la forêt. Elle rit et fait signe qu'elle va l'écouter. Nous la voyons disparaître dans les frondaisons, son bouquet à la main, toujours nue comme une nymphe.

Patrick fronce le sourcil. Il se met en route, songeant sans doute à lui dire de ne pas s'éloigner. Instinctivement, je lui emboîte le pas et Nora et Ktis font de même.

L'O, qui avec ses yeux sans prunelles voit très clair, nous montre, au-dessus des cimes des arbres, un vol de ces rapaces qui nous inquiètent toujours. Les oiseaux se perdent dans les feuillages. Patrick hâte le pas. On distingue encore l'appel de l'Harmonieux qui a séduit Waïla. Waïla que Patrick se met à appeler.

Nous joignons nos cris aux siens. Mais Waïla ne répond pas.

Vaguement inquiets, nous nous enfonçons dans la forêt. Le sable en deux couleurs est doux et tiède sous nos pieds. Les bois sont séduisants mais une ambiance bizarre pèse. Très loin, l'Harmonieux se fait entendre.

Presque malgré moi, je dis :

— Ce cri... ce n'est pas comme d'habitude... On dirait une gorge contractée !

Patrick me regarde, frappé. Nora et Ktis hochent la tête. Tout cela n'est pas clair.

Nous poursuivons nos recherches, hélant toujours une Waïla invisible. Mais Ktis, qui décidément est doué d'une vue puissante, montre sur le sol l'empreinte de ses petits pieds nus et nous courons sur la piste.

Un grand cri d'épouvante nous parvient, nous glace.

— Waïla ! hurle Patrick en se précipitant.

Nous courons derrière lui. Les buissons se font épais et des épines nous déchirent, des branches nous fouettent, des lianes s'enroulent autour de nos membres. Nous sommes parfaitement nus, sortant de l'onde et ne possédons absolument rien. Mais nous sommes affolés par le danger qui menace Waïla.

Encore une fois, le cri de l'Harmonieux. Mais est-ce bien un Harmonieux ?

Il fait une chaleur atroce et nous ruisselons, cette fois, de sueur et non plus des gouttelettes de la mer. L'appel de Waïla traverse l'air :

— Au secours !... Patrick !... Patrick !...

Nous nous ruons, presque au hasard, déchirés par les mille perfidies de cette jungle.

Et puis nous parvenons à une éclaircie végétale. Et nous voyons, horrifiés.

Spectacle abominable dans un décor de féerie ! Mais, tout de suite, nous réagissons les uns et les autres, et nous nous dressons contre l'ennemi, au secours de Waïla...

X

Ils sont là !

Les rapaces. Tout un vol de ces étranges oiseaux que nous avions fréquemment repérés et qui nous causaient un certain malaise dans leurs évolutions. Nous ne nous étions pas trompés, malheureusement. Pour la première fois, nous les découvrions au sol.

Les uns dans l'herbe et les pierres. D'autres sur les buissons et les basses branches. Ils formaient un cercle hideux, évoquant à la fois le vautour par leur cou déplumé, le vampire par une tête à courtes oreilles munie d'un bec acéré mais relevant plus du rat que de l'oiseau.

Au centre : la victime. Celle qu'ils avaient attirée dans leur hideux guet-apens, la malheureuse Waïla.

Les monstres s'étaient réunis pour l'horrifique festin. Déjà, l'un d'eux s'était approché et avait meurtri de son bec la gracile épaule. Si bien que la jeune femme, si tendre, si désirable dans sa nudité, ruisselait de sang et que ce fleuve rouge devait aiguiser l'appétit immonde des rapaces.

Il y eut, dans notre groupe, un bref, très bref instant de stupeur. Nous nous attendions à quelque chose d'atroce, mais la vision dépassait notre imagination.

Alors Patrick réagit le premier. Il se baissa, ramassa promptement une pierre et la lança d'un geste que je ne pus analyser tant il fut rapide et exécuté avec une technique qui m'échappait.

La pierre siffla, alla frapper le crâne du rapace qui venait d'attaquer le premier en déchiquetant l'épaule de Waïla. La tête du monstre empenné éclata et ce fut un nouveau ruissellement sanglant qui éclaboussa les seins roses de ma malheureuse coplanétriote.

Waïla exhala un petit cri, chancela et tomba de tout son long, évanouie.

Jusque-là, elle avait gardé conscience, ce qui lui avait permis d'appeler au secours. Mais cette horrible fin du rapace achevait de faire céder sa résistance.

Moi, j'étais encore plus stupéfait en constatant que la pierre était revenue se placer entre les doigts de Patrick, ce qui me démontra que les hommes du Poisson Austral pratiquaient le boomerang, à cela près qu'ils n'avaient pas besoin d'un engin particulier pour ce faire, et qu'une simple pierre faisait son office.

Déjà, Nora imitait Patrick et saisissait une

pierre. Patrick récidivait et ils se mirent à canarder sérieusement le groupe des rapaces, lesquels caquetaient à leur mode, de façon particulièrement sinistre. Si quelques-uns avaient paru effrayés par l'irruption des quatre humains que nous étions, ce qui changeait la face des choses, l'ensemble paraissait prêt à contre-attaquer. Ktis ne perdait pas de temps. Sans doute ne connaissait-il pas plus que moi le principe de la pierre-boomerang mais, vivement, il brisait une branche proche, me la lançait sans avoir à me fournir le mode d'emploi. Lui-même se fabriquait une massue avec la même dextérité.

Je voyais avec étonnement (mais de sa part, qu'est-ce qui pouvait me surprendre encore ?) Patrick se mettre littéralement à jongler avec une demi-douzaine de pierres. Il jonglait, oui, faisant voltiger six énormes cailloux avec vélocité.

Et, tour à tour, ces cailloux filaient, s'échappaient du cercle formé par les volutes du jeu, allant frapper chaque fois un rapace avant de revenir à son point de départ, entre les doigts experts de l'homme de Xamlis.

Et Nora l'imitait, avec autant de facilité, lançant des cailloux qui ne paraissaient à l'origine que les éléments d'une gracieuse fantaisie, fantaisie qui ne tardait pas à se changer en œuvre de mort, percutant à chaque lancée un des abominables oiseaux. Et des jets de sang inondaient la clairière, et le rouge liquide coulait un peu partout dans un rejaillissement de plu-

mes souillées, pendant que les rapaces emplis-
saient l'air de leurs ululements.

D'ailleurs, ils ne demeuraient pas passifs et
comme à un signal, et très certainement à un
signal qui m'échappa, ils prirent tous leur vol
et nous attaquèrent en piqué.

Ktis et moi n'avions d'autre ressource que de
les éloigner et de tenter de les frapper avec
nos massues. Nous ne nous en privâmes guère.
Mais les démons ailés fonçaient, plusieurs à la
fois, si bien qu'en en assommant un nous ne
pouvions éviter l'agression d'un ou deux autres.

Ainsi, je dus dégager l'O, qui me rendit le
même service à deux ou trois reprises.

Pendant ce temps, Patrick et Nora continuaient leur étrange numéro de jonglage, et
je pouvais voir qu'ils ne perdaient pas leur
temps, que de nombreux rapaces avaient déjà
été victimes de leur habileté.

De surcroît, le cercle des pierres volantes
paraissait former une sorte de frontière, de
rempart mouvant que les oiseaux ne pouvaient
franchir et si l'O et moi-même subissions quelques blessures, coups de becs et coups de serres,
les deux Xamlis demeuraient indemnes, poursuivant systématiquement la destruction de
l'ennemi ailé grâce aux cailloux-boomerangs.

Je remarquai, tout à coup, un des rapaces,
perché sur une branche élevée, ensanglanté parce qu'il avait été atteint dans le combat, qui
caquetait furieusement, battait des ailes, et
soudain se mettait à crier d'une certaine façon

qui ne ressemblait aucunement au langage des oiseaux.

Il lançait un son vibrant, puissant mais doux à l'oreille. Le cri très exact d'un Harmonieux.

Je compris en un éclair : ces oiseaux étaient capables de mimétisme oral, et c'était ainsi qu'ils avaient attiré Waïla dans leur chausse-trape. Elle avait cru une fois encore percevoir l'appel de nos amis invisibles. Et elle était tombée en plein milieu de ce cercle infernal.

Ce devait être un bien étrange spectacle que ces humains, une femme et trois hommes nus, éclaboussés de sang et de plumes, poursuivant une lutte acharnée contre un vol d'oiseaux rapaces, assoiffés de carnage. Le tout autour d'une autre femme nue, inerte, elle-même blessée et sanglante.

Mais si Ktis et moi-même étions baignés de sueur, nous ne sentions même plus les cruels coups de becs et de serres et nous battions avec fureur, exaspérés par cette harde empennée qui aurait inéluctablement dévoré un seul d'entre nous, surpris dans son isolement. Et le jeu extraordinaire de Patrick et de Nora portait ses fruits. Les terribles pierres voltigeantes faisaient mouche à peu près à tout coup, si l'O et moi ne pouvions frapper les rapaces qu'au moment où ils se jetaient délibérément sur nous.

Dix, vingt, trente cadavres d'oiseaux aux crânes brisés, aux ailes fracassées, jonchaient le sol de la clairière, dans un bain rouge. Il y avait aussi un certain nombre de blessés qui expiraient, l'œil furibond, le bec encore ouvert, cherchant dans leurs suprêmes spasmes à déchirer ces humains qui les dominaient.

Finalement, il y eut un signal, lancé par on ne savait lequel des oiseaux.

Et les survivants, au nombre d'une cinquantaine, s'enfuirent d'un seul vol, gagnèrent la hauteur des frondaisons les plus élevées, tournoyèrent un instant et disparurent tous dans la même direction.

Nous comprîmes que nous avions enfin gagné la partie. Alors Patrick ne perdit pas de temps. Il rejeta les cailloux désormais inutiles, qui tout poissés de sang tombèrent parmi les cadavres des oiseaux. Il se rua sur Waïla toujours évanouie, l'emporta dans ses bras robustes et fila à travers les branchages, en direction de la mer.

Nous le suivîmes automatiquement. Nora était en transpiration. Le sang ruisselait sur elle, le sang des oiseaux car ni elle ni Patrick n'avaient subi la moindre plaie, si l'O et moi étions fortement entamés.

D'ailleurs, Ktis s'approchait d'elle et lui tendait la main. Ils partirent tous les deux et moi, me retrouvant seul une fois de plus, je les suivis.

Dans l'onde, Patrick avait étendu Waïla. Il baignait sa plaie, et la ranima doucement. Je vis Nora et Ktis les rejoindre. Je restai un peu à l'écart.

J'avais participé tout naturellement au combat, qui était indispensable en raison du salut de Waïla, et aussi du péril commun. Mais maintenant... ?

Les deux couples se reformaient. Je m'étendis sur le sable après m'être jeté dans l'eau, pour laver mes souillures et aussi me détendre. Et je restai là.

Je méditais longuement, voyant vaguement mes quatre compagnons lesquels, un peu plus loin, discutaient à présent, Waïla ayant retrouvé la conscience, et pleurant dans les bras de Patrick, bercée sur sa large poitrine.

Nora, je l'entendais, lui disait des paroles apaisantes. Plus que jamais, je me sentais loin d'eux.

Je repensai à tout ce qui s'était passé, en si peu de temps. J'évoquai la Terre, et la tour des nuages, et les miens, et Nathalie. Mais je devais admettre que, peut-être influencé par la forte personnalité de Patrick, je ne pouvais me détacher de l'image de la fille aux yeux gris, cette Xamlis des époques perdues, figée dans la nef immobile auprès d'un gars qui me ressemblait comme un frère et qui était moi, paraît-il.

Cette fille au nom imprononçable, que j'avais aimée. Que j'aimais, me semblait-il, par instants. Je voulais me cramponner au souvenir de Nathalie, mais je me disais que je n'avais jamais éprouvé pour elle ce que j'éprouvais pour l'inconnue.

Je regardai mon bras. Il avait été gravement déchiré lors de mon intervention dans le poste de pilotage de l'astronef xamlis. Par la suite,

ayant été rejeté dans le passé, je n'avais plus
retrouvé la plaie. Pas même une cicatrice.

Seulement, j'avais maintenant d'autres blessures, souvenir des rapaces.

J'étais en train de me demander si en reve-
nant un peu en arrière par le truchement de la
boussole, il serait possible d'effacer ces sinis-
tres traces, lorsqu'un bruit insolite vint me
distraire de mes pensées.

J'écoutai un moment. Mes compagnons se
promenaient maintenant, par couple, au long
du rivage et s'étaient fortement éloignés. Je ne
voyais, sous le double soleil, que les taches
claires des corps dénudés longeant lentement le
littoral.

Qu'est-ce que j'avais entendu ?

— On dirait un bruit de moteur...

Je m'aperçus que je parlais tout haut. Oui,
mais pas n'importe quel moteur. Je n'avais
perçu auparavant les vibrations d'un pareil
moteur.

Celui d'un astronef !

Un espoir fou m'envahit. Je bondis sur mes
pieds et, cette fois encore, j'en oubliai les cui-
santes blessures occasionnées par les becs et
les serres des terribles oiseaux et que l'eau
marine, d'ailleurs très faiblement salée, n'avait
guère apaisées.

Un astronef ? Etait-ce vrai ? Naturellement,
je ne pensais qu'au nôtre, si je puis dire, à ce
vaisseau spatial xamlis qui, même investi par
les O, offrait, s'il se manifestait, une merveilleuse planche de salut.

Mais il n'y avait rien dans le ciel. Là-bas, les promeneurs allaient toujours paisiblement, batifolant en s'aventurant parfois dans les flots, sans paraître se soucier d'observer la voûte céleste.

Je m'immobilisai et prêtai longuement l'oreille.

Je ne me trompai pas. Le doux vrombissement constant qui ronronne à travers les cockpits des vaisseaux spatiaux se faisait entendre de façon latente. D'autre part, je perçus quelque chose évoquant un piétinement. Puis il me sembla que s'y mêlait un murmure de voix humaines, confus, étouffé.

Qu'est-ce que cela signifiait ?

J'évoquai l'oiseau mimétique, qui avait emprunté la voix des Harmonieux pour attirer Waïla dans le piège infernal. Mais aucun oiseau n'était en vue. Je m'aventurai, avec précautions, sous les arbres, ayant saisi une branche à toutes fins utiles, pour m'en faire une massue éventuelle. Non, les rapaces n'étaient pas là.

Je revins vers la plage. Je constatai que les bruits ne cessaient pas et je me rendis compte, un peu interloqué, qu'ils semblaient même m'avoir accompagné dans mes pérégrinations.

Je revins à la plage, m'assis, la massue à mes côtés, à portée de main.

Le moteur, les voix, les piétinements. Des portes qui claquent, la sirène d'un appel à bord, vinrent encore s'ajouter.

Soudain, je tressaillis, croyant comprendre.

J'entendais, non un astronef proche, mais rigoureusement *tout ce que j'aurais pu entendre en me trouvant à bord.*

C'était incroyable. Je percevais tous les bruits possibles qui se produisent dans le cockpit d'un navire de l'espace. Et il n'y avait rien autour de moi.

Même si un astronef eût paru en cet instant dans le ciel, même très proche, juste au-dessus de moi, j'aurais pu distinguer le vrombissement de ses turbines, mais assurément pas les conversations de l'équipage ou les claquements de portes, ni même les sirènes des interphones.

Je me pris les tempes à deux mains. Ma raison vacillait.

Les bruits continuaient. Avais-je perdu la raison ? Je me croyais à bord d'un vaisseau spatial. J'y étais. Sur la plage d'une planète inconnue et en même temps à l'intérieur de la vaste carène d'un engin interplanétaire.

Tout à coup, une idée me traversa. Un cri de joie jaillit de ma bouche. Je criai :

— Merci !... Merci, les Harmonieux !

Et je me mis à courir comme un dératé au long de la plage, pour rejoindre le groupe de mes compagnons.

XI

Je les ai rejoints. Ils sont très surpris de me voir arriver ainsi, courant comme un fou. Haletant, je raconte ce qui vient de survenir, ce que j'ai entendu.

Je constate tout d'abord un certain scepticisme chez les quatre. Nora est franchement ironique et il m'est difficile d'apprécier les sentiments de l'O, dans son faciès aux yeux sans regard apparent (et qui cependant voient très clair, je m'en suis aperçu souvent).

Selon son habitude, Patrick écoute avec attention, réfléchissant avant de juger. Quant à Waïla, je sais déjà qu'elle réglera son attitude sur celle de son amant, ce qui la dispensera des nécessités de prendre parti.

Je m'énerve, je vois bien qu'on ne me croit pas.

C'est alors que survient ce que je n'osais espérer. Je continue à parler, m'évertuant à les convaincre mais je vois bien que maintenant ils ne m'écoutent même plus.

Parce qu'ils entendent autre chose que ma misérable voix.

Et moi, je me tais à mon tour. J'écoute. Le sourire me revient. J'attends un petit moment, avant de triompher modestement, du moins je l'espère.

L'O prononce le premier, secouant la tête :

— Moteur...

Waïla, béate, ne faisant peut-être même pas de relation entre mon récit et ce qui se manifeste, déclare :

— Moi, j'entends un bruit de moteur...

Oui. Et puis aussi des piétinements. Et des vrombissements. Et des portes qui claquent, et des sirènes qui vibrent et des interphones où grésillent des voix humaines avec cet accent désagréable de la phonie mécanique.

Ma joie est grande. Je suis, avec eux quatre cette fois, à l'intérieur de l'invisible astronef. Je crois comprendre. Les Harmonieux, nos magnifiques, nos merveilleux amis nous ont suivis.

Ils ont voulu me faire savoir qu'un astronef se trouvait sur la planète. Et à présent ils continuent leur œuvre en récidivant auprès de mes compagnons.

Une satisfaction profonde nous traverse tous et on ne me regarde plus exactement comme un demeuré. Tous, nous voudrions exprimer notre gratitude envers ceux que nous nommons les Harmonieux. Nous leur crions notre joie, en xamlis, en franco-terrien, en langue O, de toutes les façons possibles. Comprennent-ils ? Il nous est difficile de le savoir. Que savons-nous d'eux ? Ils sont favorables, hospitaliers, bienveillants. Ils sont les ennemis des Discordants mais, Dieu soit loué, ces derniers ne se manifestent pas.

On tient conseil. Les Harmonieux se sont tus. Tous les cinq, nous nous sommes installés sous les frondaisons de la plage. On discute. Il nous paraît hors de propos que ce soit là une imposture. Les rapaces sont capables d'imiter la voix des Harmonieux, Waïla en a fait la triste expérience. Mais en la circonstance, ce sont bien nos petits amis invisibles qui nous ont alertés.

Que signifie ce message ? Ils n'ont trouvé d'autre moyen de nous renseigner que ce mimétisme absolu sur le mode sonore. Tous les bruits possibles résonnant à travers un navire de l'espace ont été reconstitués, nous informant de façon péremptoire de la présence de l'astronef.

Les Harmonieux savent-ils de quoi il s'agit ? Pouvons-nous les comprendre ? Ils appartiennent à une forme de la nature qui nous échappe. Mais ils semblent toujours vouloir se manifester en amis. Et nous tombons vite d'accord sur ce point : si les Harmonieux ont réalisé cet édifice de vibrations, évoquant parfaitement un vaisseau interplanétaire, c'est qu'ils savent qu'il en existe au moins un exemplaire quelque part en ce monde inconnu.

Où ? C'est une autre question. Duquel s'agit-il ? Bien entendu, nous avons peine à imaginer qu'il puisse en exister un autre que celui construit à Xamlis, planète du Poisson Austral. Nous devons admettre en ce cas que, propulsé par les radiations fantaisistes de la fantastique boussole, il doit avoir emmené son équipage, soit les Xamlis, outre les envahisseurs du dernier instant, les O en la circonstance. Ce qui fait beaucoup de monde, une quarantaine d'hommes au moins, aucune femme ne se trouvant parmi les commandos O.

Les deux soleils nous caressent doucement. Nora a très adroitement appliqué une sorte de cataplasme de feuillage sur l'épaule meurtrie de Waïla et déjà le sang est coagulé. On devine une amorce de cicatrisation.

Il fait bon. Nous dégustons les fruits de la jungle proche, devisant de ce qu'il y a lieu de faire. L'humeur générale tourne à l'optimisme, encore que nous ignorions totalement où peut bien se trouver l'astronef signalé par les Harmonieux.

Un appel du peuple invisible nous alerte un peu plus tard.

Nous dressons l'oreille tous les cinq à la fois.

— Eux... Les Harmonieux !

— Oui, mais cette fois on dirait...

— ... Que cela vient...

— ... De la mer !

Nous nous levons. Les soleils commencent à baisser. Ce sera bientôt le grand crépuscule de cette planète, un crépuscule qui dure parfois longtemps et plus qu'un jour entier.

Dans les lueurs obliques des astres, nous nous risquons. Oui, les sons agréables, modulés, mais non mimétiques de nos amis se font encore entendre. On dirait que c'est sur les vagues. Nous nous risquons dans les flots et au bout d'un moment nous avons la certitude que plus nous avançons, plus les sons s'éloignent vers le large.

— Ils doivent nous signifier que l'astronef est dans cette direction !

C'est Nora qui a parlé et elle montre l'horizon marin.

Qu'y a-t-il là-bas ? Nous ne savons rien de cette planète. Nous n'en connaissons qu'une infime partie. Un monde sauvage, qui a connu autrefois une humanité, une civilisation. Et où vivent d'étranges invisibles, favorables ou hostiles selon leur race. Mais géographiquement, notre ignorance est totale.

Pourtant, les appels se répètent, comme si la réflexion de Nora avait été perçue.

En admettant que l'astronef ait touché ce sol au-delà de cette mer, comment le rejoindre ? Nous n'avons jusqu'alors découvert de trace de technologie sur cet astre que par les ruines où j'ai assisté... auditivement, si je puis dire, au combat des Harmonieux et des Discordants.

Il est venu, ce crépuscule. Nous bavardons encore longuement. Construire un bateau, ou tout au plus un radeau, ce serait peut-être une solution. Mais elle demeure du domaine de l'empirisme. Pourtant, un espoir fou est en nous. Nos amis invisibles ont bel et bien, à deux reprises, suscité l'idée du vaisseau spatial.

C'est la nuit. Dans un angle de la hutte, je cherche le sommeil. Parfois, je distingue des soupirs dont la nature est sans équivoque. Nora et Ktis ? Ou Waïla et Patrick ?

Et le pauvre Guy est aussi seul qu'à la tour des nuages. Seul après avoir franchi je ne sais quels abîmes de l'espace-temps...

Au réveil, j'ai un peu oublié mon amertume. Patrick, qui s'est levé le premier pour aller explorer le rivage, et qui de son propre aveu supputait les possibilités d'un esquif quelconque, nous hèle vivement.

Les Harmonieux sont là, autour de lui. Nous les distinguons bien vite et c'est une grande satisfaction. Mais, cette fois, autre chose se produit. Nous avions aperçu, à plusieurs reprises, de singuliers êtres aquatiques. Ils évoquaient, je crois l'avoir dit, les dauphins des océans de la Terre, à cela près qu'ils étaient munis d'ailes. Disons de nageoires analogues à celles des poissons volants. Cette fois, ils ne se contentent pas d'évoluer au large. Ils batifolent près du rivage et j'aperçois Patrick qui les regarde avec acuité.

Les deux femmes, l'O et moi, nous approchons.

Il nous fait signe de garder le silence, et de venir près de lui.

Nous entendons un curieux son, une sorte de

doux sifflement qui se change à un certain moment en stridulation aiguë. Patrick nous souffle :

— Observez bien les bêtes !

Nous sommes tout yeux. C'est en effet admirable. A ces sons émis par les bouches invisibles des Harmonieux correspondent les évolutions de ce qu'on pourrait appeler les Dauphins-Exocets. Stridence ! L'un jaillit des îlots et se maintient à peu près sur place grâce à ses immenses ailes vibratiles. Modulation : il glisse au ras des vagues. Plusieurs autres sons, très différents les uns des autres, se font entendre et nous commençons à saisir. Chaque appel est un commandement. L'animal marin y obéit avec docilité. Il sort des flots, vole, tourne, plonge, ressort, s'élève, selon les mystérieux accords d'une gamme plus mystérieuse encore. Mais réelle et correspondant on ne sait à quelle union subtile entre la bête et la créature invisible.

Longuement, nous restons ainsi.

Alors Patrick se dépouille de ses vêtements et avance pour avoir de l'eau jusqu'à mi-corps. Naturellement, Waïla a voulu l'imiter mais lui, d'un geste impérieux, lui a intimé l'ordre de n'en rien faire et elle se tient coite.

Nora a un sourire du genre rictus. Ktis n'offre que sa face où les yeux ne sont pas des yeux. Jamais, décidément, je ne m'habituerai à cette race.

Mais la question n'est pas là. Que fait Patrick ?

Ces sons... ces sons auxquels obéissent les... appelons-les Dauphins Volants, ce ne sont plus les invisibles qui les modulent.

Mais lui. Lui l'extraordinaire homme du Poisson Austral. Il siffle, il chante, il murmure, il s'essaye, avec quelque maladresse au départ, puis en s'affirmant, à reprendre la chanson mystérieuse des énigmatiques invisibles.

Alors les créatures de l'onde évoluent autour de lui. On les voit jaillir au-dessus des flots, se balancer à la crête des vagues sans les toucher vraiment, venir vers lui gracieusement dans un étrange vrombissement d'ailes. Et puis elles replongent, glissent entre deux eaux, reviennent à son appel.

Il y a comme un grand cri, un cri de victoire qui doit être poussé à la fois par tous les Harmonieux qui assistent à l'opération.

Emerveillés, abasourdis aussi, nous savons ce qui vient de se produire. Ils nous ont donné une leçon, une leçon que Patrick a été le premier à mettre à profit. Nos amis sans corps nous ont enseigné le moyen de se faire obéir des Dauphins Volants, de les utiliser.

Et maintenant, ils se manifestent de nouveau. Vers le large. Et leurs voix charmeuses s'éloignent, s'amenuisent. C'est clair. Ils nous montrent la bonne direction. Il faut s'élancer vers l'horizon inconnu, aller à la recherche de l'astronef. Le moyen ? Maintenant, nous en disposons.

Ces bienveillants l'ont amené à notre portée. Il faudrait être borné pour ne pas profiter de la leçon et de cette merveilleuse occasion. Patrick ne perd pas de temps. Il s'évertue toujours à se faire obéir des Dauphins Volants et ceux-ci, avec cette familiarité tendre de leurs congénères (approximatifs) des mers terriennes, paraissent prendre un plaisir certain à ce jeu.

Finalement, nous le voyons qui se risque. Il a appelé près de lui une des bêtes. Il lui parle, maintenant, dans sa langue, et l'autre, se maintenant à portée dans une vibration d'ailes, semble l'écouter. Patrick flatte l'animal, le caresse, s'amuse à lui tirer les nageoires, à lui gratter la tête.

Il l'a apprivoisé, c'est sûr. En bien peu de temps, grâce à l'enseignement exceptionnel dont les Harmonieux nous ont fait bénéficier.

Alors Patrick enfourche carrément l'animal, se met à siffler, émet quelques sons qui rappellent avec une fidélité quasi absolue ceux des Harmonieux.

Pendant un long moment, ce cavalier inattendu va virevolter au-dessus des eaux sur cette monture plus inattendue encore. L'homme nu rit de toutes ses dents, une denture éclatante que souligne le noir de la barbe. Waïla et Nora sont en admiration. Que dis-je, en dévotion devant lui. Je ne puis guère lire les sentiments de Ktis, mais il doit être comme moi : subjugué.

Un peu jaloux aussi, peut-être.

Il nous faudra deux jours, deux jours de durée d'ailleurs fort inégale de la planète pour

nous accoutumer au commerce des Dauphins
Volants. Mais, le troisième jour, nous deve-
nons tous des cavaliers acceptables, et ces
curieux animaux semblent parfaitement déterminés à nous emmener sur leur dos. Nous
avons déjà risqué de longues promenades au
large. Ce qui nous a permis de constater que
nous sommes bien dans une mer ou un océan
et non dans un lac comme nous avons pu le
penser à un certain moment. Cette nappe d'eau
est immense et s'il faut la franchir, le voyage
risque de durer. Combien de temps ? Nous en
sommes aux conjectures.

Finalement, Patrick propose le départ. Nous
sommes tous d'accord. Cette vie ne manque
pas d'agrément dans sa rusticité, mais nous
ne pouvons y demeurer éternellement. Les mondes civilisés nous attendent. Moi, je sortirais
volontiers de ma solitude, rendue plus cruelle
par ce semblant de bonheur que les deux couples affichent auprès de moi.

Et Patrick, à plusieurs reprises, a reparlé de
la nef immobile, a évoqué ce qu'il appelle notre
devoir : aller l'arracher avec son équipage à
cette stagnation dans le temps, que seule la
boussole peut permettre de détruire.

J'avoue que je pense un peu à Nathalie,
beaucoup à la fille aux yeux gris.

Nous n'avons rien à perdre. Nous empaque-
tons notre avoir, simples colis faits de nos
vêtements et des quelques objets que nous
possédons. Patrick, lui, garde précieusement la
boussole.

Cinq Dauphins Volants chevauchés par deux femmes et trois hommes nus quittent ce rivage où nous avons connu notre première escale loin du monde des planètes civilisées.

Une véritable symphonie nous accompagne. Les Harmonieux sont là, pour saluer notre départ.

Quelques-uns doivent se manifester au large, plus loin, toujours plus loin, comme pour nous inciter à nous aventurer sans réticences vers les lointains de cette mer inconnue.

Les Dauphins Volants obéissent à nos voix, à nos injonctions modulées avec plus ou moins de bonheur. Mais enfin, ils sont complaisants et nous paraissons voler à quelques dizaines de centimètres des vagues. Il y a bien quelques nuages sur l'horizon, mais sous les deux soleils nous n'en faisons guère cas.

Deux Terriens. Deux Xamlis. Un O. Singulier commando fonçant, sur des coursiers insolites, vers des gouffres ignorés...

XII

Agréable, cette chevauchée ! Si étrange aussi !
Mais il est admis que dorénavant je ne m'éton-
nerai plus de rien.

Pas même de me trouver nu à califourchon
sur un animal d'une race extraordinaire, voltigeant au-dessus de la surface d'un océan d'une
planète dont je ne sais rien, en compagnie de
deux Xamlis, d'un O et d'une Terrienne.

Sous les deux soleils, il fait très chaud et
l'eau renvoie la chaleur. Il y a encore un peu
de jour, d'après la position des astres. Mais
nous devons constater que les nuées s'amoncel-
lent. L'horizon est embrasé et des effets de
nuages d'une incomparable beauté se produisent, le double soleil créant des lumières d'or,
de pourpre, d'émeraude et de toute la gamme
des joyaux connus dans l'univers.

Patrick est devenu, selon son habitude, ex-
pert en peu de temps. Il continue à fort bien

diriger les Dauphins Volants. Nora et Ktis s'y sont mis, eux aussi, et encouragent leur monture avec adresse, utilisant les précieuses leçons des amis invisibles.

Waïla susurre également des essais de sons, mais elle s'y révèle à peu près aussi maladroite que moi, ce qui n'est pas peu dire. Qu'importe ! Elle se trouve heureuse dans notre invraisemblable situation. Elle rit de ses propres gaucheries, et je la vois, bien belle dans sa chair de blonde, rose nacré, avec ses cheveux couleur de blé pas mûr qui battent à la brise marine.

Nathalie ?... Ou l'inconnue aux yeux gris, celle au nom imprononçable... Comme elles sont loin !

Nora est belle également et je me dis qu'à défaut de ma charmante Terrienne et de mon hypothétique amante de la nef immobile, normalement morte depuis trois siècles, si je n'avais pas fait l'imbécile en voulant reprendre la boussole, « ma » boussole, je pourrais peut-être sinon les oublier, du moins patienter en une aussi aimable compagnie. Mais j'ai fait le jeu de Ktis.

Difficile de lui en vouloir. J'ai pu l'apprécier, c'est un brave type d'O. Et nous en avons parlé avec Patrick. Cet ennemi héréditaire de sa planète est devenu non seulement l'amant de Nora, pourtant enragée contre sa race, mais aussi l'ami de Patrick. Rien ne vaut décidément, entre antagonistes, le contact humain... Si les combattants pouvaient, avant de s'entretuer, se regarder au fond des yeux, il est vraisemblable que bien des conflits seraient promptement réglés.

Pendant que je me livre à ces réflexions hautement philosophiques, la nuit vient. Nous extirpons, comme nous le pouvons, quelques fruits mis en réserve dans nos paquets de vêtements. On casse une drôle de petite croûte, à cheval sur un Dauphin Volant, sur cette mer dont l'horizon devient inquiétant.

Les soleils se couchent parmi des masses formidables de nuages, engendrant jusqu'au bout des effets merveilleux. Mais, subitement, plus rien. Le crépuscule, le grand crépuscule s'étend. Et le firmament obstrué de nuées ne montre plus la moindre étoile. C'est le noir.

Nous aurons peine à découvrir une terre, si elle apparaît à l'horizon. Cependant, les Dauphins poursuivent leur randonnée, reprenant de temps à autre quelques forces en nageant à fleur d'eau pendant un moment, ce qui nous vaut des bains réitérés. Mais la chaleur demeure lourde et nul ne s'en plaint.

La nuit. Après les aimables sensations de la journée, la randonnée glisse vers l'angoisse. Nous batifolons gaiement et nous nous enfonçons dans un univers ténébreux. La caresse des rayons solaires le cède à un vent vif, qui fraîchit, qui commence à mordre. Et les vagues grossissent, l'obscurité se strie de larges bandes écumeuses qui naissent sur les crêtes liquides.

Dans tous les univers et sur toutes les planètes, il est aisé de comprendre à de tels symptômes qu'une jolie tempête se prépare.

Nous échangeons quelques propos, en élevant la voix parce que nos montures font beaucoup de bruit. Leurs nageoires-ailes vibratiles engendrent évidemment un vrombissement permanent. D'autre part, elles touchent fréquemment la surface de l'onde. Bref, il est difficile de dialoguer.

D'une façon générale, nous ne nous dissimulons pas qu'après le charme de la promenade diurne, la progression dans la nuit menace d'être beaucoup moins aisée.

Cela ne tarde pas à se confirmer. Une pluie violente gifle soudain la mer, et nous autres par la même occasion. Waïla commence, entre autres, à trouver la chevauchée moins divertissante. Elle a froid, comme nous tous, mais la robuste Nora saura ne pas se plaindre. Nous nous cramponnons à nos Dauphins, parce que le vent devient de plus en plus violent. Le ciel commence à se zébrer de lueurs vives. Le spectacle serait d'une farouche beauté sans notre position. Nous sommes perdus au centre de cet océan dont nous ne savons rien. Impossible seulement de communiquer encore entre nous dans le fracas du tonnerre qui éclate et fait retentir ses coups sans interruption ou presque. Les rafales sont de plus en plus fortes et les vagues se soulèvent, furibondes.

Même si les Harmonieux se manifestaient pour nous encourager, il est vraisemblable que

nous serions incapables de les entendre dans
ce vacarme universel.

J'ai très peur, bien entendu. Je redoute à
chaque instant de glisser de ma monture, crispé que je suis, serrant les jambes de toutes
mes forces et me cramponnant à deux petites
nageoires placées latéralement à la tête de
l'animal, des ailerons réduits et non vibratiles
qui sont bien utiles pour les cavaliers impro-
visés.

Les Dauphins Volants vont-ils craindre la
tempête, eux aussi ? S'il leur prenait fantaisie de plonger, d'aller chercher refuge dans
des ondes submarines, donc plus calmes ?

Pendant un bon moment, cette situation se
poursuit. Je suis aveuglé par les paquets de mer
mais mon coursier continue, piquant parfois
dans les flots, ce qui m'immerge presque totalement. Totalement même, à une ou deux reprises, et comme je suis un médiocre nageur,
peu familiarisé avec l'eau, que je suffoque
dès que je me mouille la tête, je suis moins
qu'à mon aise.

Il fait si noir que sans les éclairs fréquents
je ne verrais même plus mes compagnons. Dans
les lueurs de la foudre, je les entrevois cependant mais l'orage nous a dispersés. Les Dauphins Volants ne naviguent plus de conserve
et la belle ordonnance de notre petit groupe
est perturbée. Je distingue les silhouettes sombres
bres et luisantes des coursiers, et les chairs
blêmes des cavaliers, parfois à demi engloutis
selon les vicissitudes de cette progression mi-

natation mi-vol au sein d'une telle tempête, sans pouvoir leur adresser la parole ni les entendre, mes amis d'aventures.

Dix fois, je me crois mort, alors que le Dauphin pique encore entre deux eaux, ou que la foudre s'abat sur les flots, ou que les vagues immenses déferlent sur nous, engloutissant temporairement monture et cavalier.

Je suis glacé, je frissonne et je me dis que si je m'en sors avec une fluxion de poitrine, ce sera un minimum. Ce ciel, cet océan furieux, ce feu électrique qui ruisselle, nous précipitent dans une atmosphère effroyable, grandiose j'en conviens et certainement spectaculaire, mais que je préférerais admirer devant la télé.

Et puis le calme paraît revenir. Moins de vent. Des vagues plus atténuées, fin du fracas du tonnerre.

Sommes-nous sauvés ? Je voudrais le croire.

Les Dauphins Volants, saisis sans doute par leur instinct grégaire et dans l'impossibilité actuelle de percevoir nos ordres, se rapprochent les uns des autres, ce qui me réjouit et me permet de retrouver mes compagnons. Nous échangeons des signes à défaut d'autre chose. Tout va bien, nous sommes là, tous les cinq, épuisés, grelottants, cramponnés à nos braves bêtes, ignorant toujours où nous sommes et ce qui va bien pouvoir encore arriver. Mais vivants.

Ce qui va arriver ? Eh bien, cela ne tarde pas.

Il fait encore très noir sur la mer. Peu ou

pas d'éclairs. Mais toujours une voûte d'épais
nuages qui ont par bonheur cessé de crever.
Cela irait donc mieux sans l'apparition lointaine d'une étrange clarté vers l'horizon.

Serait-ce une terre ? Une île ? Un rivage ?

Je reprends espoir mais, après un instant,
je me rends compte que ce n'est pas cela ni
même, comme j'ai pu le penser un instant, un
navire, un engin flottant quelconque. Non, cela
provient de la mer elle-même.

Et les Dauphins ne dévient pas d'une ligne.
A croire que les Harmonieux leur avaient fait
la leçon, ou qu'un sûr instinct les conduit au
but, là où nous devons retrouver le mystérieux
astronef qui, d'ailleurs, est peut-être le nôtre.
Après l'éloignement consécutif à la tempête,
nos coursiers ont repris la formation de base
du petit groupe. Mais, je n'en doute pas, même
dans le tourbillon des lames furibondes, ils
n'ont cessé de foncer vers le but qui leur a été
indiqué.

Les Dauphins filent plus vite que jamais, si
bien que nous finissons par nous poser la question : ont-ils, eux aussi, discerné cette lueur ?
Ne dirait-on pas que son apparition les a sti-
mulés ? Ils vont à toute allure mais, tout à
coup, ils ont bifurqué.

Comment les diriger ? Jusqu'alors, ils ont
obéi à nos injonctions, mais il était vrai qu'ils
semblaient parfaitement savoir où ils allaient.
Et les voilà qui tournent délibérément le dos,
si je puis dire, à cette apparition.

Apparition qu'il nous est difficile de commenter entre nous. Nos montures ont atteint une telle vitesse que la brise marine, cependant sans rapport avec la violence du vent précédent, siffle en permanence à nos oreilles. Chacun doit donc rester avec ses propres réflexions. La chose lumineuse paraît s'étendre, mais je me rends compte — et sans doute mes compagnons comme moi — qu'elle forme une ligne qui irradie entre deux eaux, près de la surface.

Et puis, je ne sais comment cela s'est produit, cette ligne apparaît courbe.

Devant nous.

Je me retourne, cramponné aux nageoires de mon coursier. La ligne est aussi derrière nous.

Et à bâbord et tribord, puisque nous naviguons. Autrement dit, nous sommes encerclés.

Nous nous faisons des signes qui ne veulent pas dire grand-chose, à défaut de dialogue. Oui, cette lumière bizarre, dont le rayon d'action est difficile à estimer, nous enferme dans ses volutes. Parce qu'il ne s'agit pas d'un cercle parfait, je ne tarde pas à le constater. Ce serait plutôt une spirale. Une spirale immense formant une barre lumineuse qui évolue et dont nous occupons à peu près le centre.

Les Dauphins Volants tentent brusquement de changer de direction. Je manque être précipité dans les vagues et j'ai toutes les peines du monde à me hisser de nouveau à califourchon. Waïla pousse des cris aigus et Patrick semble vouloir la rassurer en lui hurlant quelque chose. Ktis vocifère mais je ne comprends pas la langue des O. Il doit jurer, très probablement.

Nora, elle, courbée sur son cheval marin, est seule à garder le silence.

La spirale effraye les coursiers, qui doivent savoir ce dont il s'agit.

Il s'agit sans doute de quelque phénomène mystérieux et redoutable. De quelle nature ? Impossible de s'en rendre compte. Mais cette planète, avec ses peuples invisibles, est fertile en éléments insolites.

Je pense que Patrick pourrait peut-être nous sortir de là avec la boussole. A condition de pouvoir s'en servir. Elle se trouve dans son paquet personnel, attaché comme tous les nôtres, à sa ceinture. Et dans sa position, il ne peut guère la saisir sans risquer de voir le tout se perdre au fond de cette mer diabolique.

La ligne spirale tournoie. Et nous constatons soudain l'affolement des Dauphins Volants.

Je tente, comme nous tous, de les calmer par les cris particuliers enseignés de nos amis les Harmonieux. Mais les voix se perdent dans le bruit de la course, de cette danse frénétique plutôt, les bêtes bondissant sur place sans direction déterminée, au grand dam des cavaliers.

Ktis est précipité dans les flots.

Comment le secourir ? Nous avons peine, chacun pour son compte, à nous crisper aux nageoires céphaliques des coursiers, tandis que l'O se débat. La mer est plus étale, certes, mais nous ne pouvons le joindre.

C'est son Dauphin Volant qui vient à la rescousse. Avec une incroyable adresse, il passe
et repasse sous lui, si bien que Ktis, qui n'est
pas bête, finit très vite par comprendre la manœuvre. Il s'y prend de telle sorte qu'à la quatrième ou cinquième plongée, le coursier repa-
raît avec l'O sur le dos.

Nous lui faisons des gestes pour démontrer
notre joie de le voir sauvé et Nora lui envoie
un baiser... Il y a des gestes que je qualifierai
de cosmiques !

Cosmique aussi notre terreur ! Parce que la
spirale fait des siennes.

L'extrémité de la spirale, à vingt ou trente
mètres du groupe formé par les humains et les
Dauphins, esquisse une frange de nature indé-
terminée, avec ce prolongement luminescent
qui évoque un curieux serpent venant vers nous
en anneaux subtils.

Alors la mer se creuse et nous sommes dans
une sorte d'entonnoir, un entonnoir qui s'enfonce de plus en plus, un entonnoir dont le bord
supérieur est à hauteur du niveau de la mer
tandis que ses parois, formées dans la masse
de l'onde, semblent sans arrêt devenir plus
abruptes. Tout au long la ligne lumineuse est
visible, très visible même. Sa clarté est vive,
très blanche et sans fin elle paraît piquée au
fond de l'entonnoir, évoquant une plongée éternelle.

Un maelström ! Nous sommes lancés dans
un maelström. Phénomène naturel ? Animal
inconnu ? Comment savoir ?

Ce qui est certain c'est que les Dauphins jettent des cris gutturaux exprimant leur désarroi. Ils ont peur ! Et nous donc ! Nous sommes littéralement couchés en avant sur le dos de nos montures, aveuglés par la clarté de la ligne fluorescente, emportés dans le tourbillon ainsi né au sein même de l'océan.

Alors les voix éclatent !

Un chant prodigieux, fait de mille organes suaves, allant du grave à l'aigu, un chœur immense, l'explosion vocale d'un monde tout entier !

Un choral d'un style inconnu, qui domine le bruit de la mer, les cris des Dauphins, les gémissements qui nous échappent dans notre désarroi de fin du monde.

Et Patrick crie quelque chose que je ne comprends pas, mais je constate au bout d'un instant qu'il doit s'être mis à chanter. Ce musicien-né reprend la mélodie fantastique. Il y participe. Il n'en connaît ni les notes, ni les paroles si paroles il y a, mais de toute sa poitrine, de tout son être, il s'est uni à ce prodigieux ensemble.

L'entonnoir a cessé de se creuser, je le constate.

On dirait que la luminescence faiblit. Je peux ouvrir les yeux sans être aveuglé. Les parois effroyables du maelström deviennent plus douces. Si bien que, par un curieux mouvement inverse du premier, nous remontons.

Quand nous sommes revenus en surface, que

le phénomène a cessé de se manifester, la spirale de lumière s'efface, disparaît...

Les Harmonieux nous ont sauvés, une fois encore...

Quand les deux soleils se lèvent, épuisés, glacés, ankylosés, nous sommes jetés tous les cinq sur une plage par les Dauphins Volants.

Je voudrais remercier mon coursier, le caresser, le flatter. Je suis tellement fatigué que je suis incapable de faire un mouvement et je devine que mes amis sont dans le même cas.

Mais nous sommes sur une rive. Le but ? C'est probable. Les mystérieuses entités qui viennent encore de nous arracher au monstre lumineux doivent nous avoir dirigés jusqu'au bout.

Le jour vient.

Mes compagnons dorment tous à poings fermés.

— L'astronef !... L'astronef !...

Il est passé dans le ciel. Il a déjà disparu. Ai-je rêvé ? Je m'endors...

XIII

Au réveil, on discute ferme. Moi, j'ai quelque chose à raconter, si tous ont dormi profondément, récupérant ainsi la terrible fatigue de la chevauchée marine. Au premier abord, je sens malgré tout que Nora redevient sceptique. C'est une manie. Je ne peux jamais rien avancer sans qu'elle ironise plus ou moins discrètement sur mes propos.

Elle laisse entendre que j'ai rêvé. Ktis tourne vers moi son faciès où de tels yeux ne permettent de lire nulle opinion. Waïla, en tout cas, n'en a aucune. Heureusement, il y a Patrick. Si sa supériorité me crispe souvent, je dois rendre hommage à sa gentillesse et ceci compense cela. De surcroît, c'est un logicien.

— Les Harmonieux ont évoqué pour nous un astronef et Guy pense en avoir aperçu un dans un demi-sommeil... Cela se tient !

Il me prie de décrire ce que j'ai vu. Sans

hésitation, je précise que cela ressemblait étrangement au vaisseau spatial xamlis, et, cette fois, Nora paraît un peu plus intéressée.

Nous inspectons ensuite ce rivage. Rien de commun avec le continent, ou l'île, que nous avons quittée. Ici, la végétation est plus rude, plus épineuse. Le climat semble plus sec et le relief très tourmenté. On distingue des collines déchiquetées où dansent des fumerolles multi-colores intermittentes.

Nous trouverons sans doute moins de fruits que sur la rive précédente. En attendant d'aller plus avant, on déjeune avec ce qui a été ramené. Patrick a sauvé la boussole. Je crois que si elle avait glissé à la mer, il aurait plongé à sa suite.

Je suggérerais bien que nous nous en servions mais l'homme du Poisson Austral a mesuré depuis longtemps les effets d'un tel engin. Tant qu'il ne sera pas en mesure de contrôler rigoureusement l'objet, il s'abstiendra, de crainte de se lancer, et son entourage avec lui, dans on ne sait quel monde, ni en quelle époque. Parce qu'après tout nous savons bien que nous avons changé de planète mais nous aurions pu tout autant être projetés dans le futur, comme dans le passé.

Les Harmonieux ne se manifestent pas. Les Dauphins Volants, leur tâche accomplie, ont disparu. Ici, nous ne voyons pas de rapaces et c'est toujours ça de gagné. Mais il y a sans doute bien d'autres périls.

Après une longue halte, on décide de partir.

J'ai désigné approximativement la trajectoire de l'astronef entrevu. Il paraissait suivre le rivage et a paru tourner vers les plus lointaines collines. De toute façon, nous pensons que nos invisibles amis ne nous ont pas égarés. Un navire spatial doit croiser autour de la planète et peut-être y faire escale de temps à autre, d'autant qu'il s'agit certainement de celui que commandait Nora.

En marchant sur un sol caillouteux, rougeâtre, piqueté de plantes bizarres au feuillage métallique d'un vert dur, souvent épineuses, nous avançons. Les fumerolles déjà entrevues reparaissent, disparaissent, pour reparaître encore mais en des points différents, ce qui nous intrigue beaucoup.

Nous discutons. L'O, Waïla et moi faisons des progrès en langue xamlis et on arrive à peu près à une conversation convenable. Nous évoquons la puissance magique des voix de l'invisible. Les Harmonieux semblent constituer un peuple civilisé, sans que nous puissions seulement en imaginer la nature. Je rappelle leur combat avec les Discordants et nous en revenons à leur dernière intervention. Patrick l'a si bien comprise, cette tactique, que, nouvel Orphée, il s'est uni au choral pour apaiser la fureur de ce fantôme de la mer qui fabrique si complaisamment des maelströms pour engloutir proprement les audacieux extraplanétaires.

Cependant, nous nous enfonçons dans une sorte de canyon. Des falaises violettes, striées de filons d'un minerai inconnu, brillant sous les deux soleils, nous encadrent. Un torrent cabriole au fond. Ktis, le premier, s'arrête.

— Fumée ! dit-il avec son laconisme habituel.

Nous stoppons. Il faut dire que notre harnachement est succinct. Rien que nos vêtements rescapés de toutes ces aventures, pas d'armes, quelques bricoles, et la préciosissime boussole. En cas de danger, on ne peut compter que sur l'adresse au boomerang des deux Xamlis, outre la force de Ktis et ma bonne volonté.

Une fumée oscille devant nous. Elle semble jaillir de terre et former une sorte de tourbillon haut de trois ou quatre mètres. C'est d'un joli rouge, et un peu plus loin nous en découvrons une autre, jaune-ocre.

Waïla, pour une fois, manifeste un don surprenant d'observation :

— Oh ! mais ça bouge !

Oui, ça bouge. Nous constatons que cela ne naît pas au sol comme nous en avions eu l'impression initiale. Non ! Cela forme une chose intrinsèque. Une chose qui va, vient, se déplace sans contact avec le sol. De la fumée très certainement, du moins cela en a l'apparence. De la fumée qui est saisie d'un mouvement giratoire permanent. Et qui court, paraît fureter, revient, tourne avec une vélocité extraordinaire et, à notre ahurissement, bondit à plusieurs reprises par-dessus les rochers qui abordent le torrent.

C'est très joli à voir, mais ne laisse pas d'être inquiétant.

J'avoue n'avoir jamais rien vu de semblable
et Patrick me dit, avec son bon sourire :

— Tu es bien un Terrien, Guy. Tes coplanétriotes sont tous les mêmes. Pendant des millions d'années, ils ont dû se croire le nombril
du cosmos. Et la nature, selon leurs savantis-
simes, était exactement la même partout, la vie
exceptée. En revanche, dès qu'ils ont été as-
treints à admettre que les première apparitions
de soucoupes volantes démontraient l'existence
d'extraterrestres, ils ont aussitôt inventé des
êtres fantastiques, à la morphologie monstrueu-
se. Le tout sur des planètes rigoureusement terramorphes... La vérité est autre. Tout d'abord,
l'humanité est identique en tous les mondes,
en raison de la logique divine qui présida à
sa création, compte tenu de l'infinie diversité
des races. D'autre part, les phénomènes « naturels » ne relèvent pas obligatoirement de la
norme connue sur la Terre. Dans chaque astre,
il y a des lois différentes. Nous ne faisons que
nous heurter à l'inconnu, ce qui advient chaque
fois qu'un humanoïde explore un monde neuf
pour lui, voilà tout.

J'ai écouté, bouche bée, ce petit discours.
Pour mieux se faire comprendre, il a daigné
s'exprimer en franco-terrien. Nora et l'O suivent
mal, je m'en rends compte, mais Waïla, qu'elle
ait compris ou non, demeure béate devant la
sapience de son « jules » extraterrestre.

Nous progressons donc avec prudence. Les
fumées colorées, qui doivent décidément être
animées d'une vie au moins animale, commen-

cent à se rapprocher, voltigeant, caracolant bizarrement de roc en roc. Ces sortes de cylindres vibratiles désirent-ils faire plus ample connaissance ? C'est assez impressionnant. Plus ils sont proches de nous et plus nous avons la conviction que si ce n'est pas de la fumée cela en a l'aspect, même de près. Imaginez un panache de vapeur qui se mettrait à tourner sur lui-même à toute vitesse, de la vapeur tantôt verte, tantôt bleue, tantôt indigo ou tango ou je ne sais quoi. C'est très joli, prend des tons chatoyants sous le double soleil dont la lumière est génératrice d'effets séduisants et inattendus, mais il n'en est pas moins vrai que cela nous fait un drôle de cortège que ces créatures fantastiques qui virevoltent et forment petit à petit un cercle autour de notre petite troupe.

Du moins, cela n'attaque pas, ne semble pas particulièrement agressif. Je m'évertue à comprendre mais je suis à peu près assuré de ne jamais y parvenir.

Cette fois, nous ne sommes plus très sûrs d'être dans la bonne direction. Nous ne disposons ni de coursiers ni de guides. Les Dauphins Volants ont regagné leur élément et les Harmonieux demeurent silencieux.

Pourtant, il faut avancer. L'astronef doit être quelque part par ici. A moins (et cette hypothèse nous fait froid dans le dos) qu'il n'ait quitté la planète, son équipage désespérant de nous retrouver, si vraiment il s'agit du nôtre.

Nora, qui ne manque pas de bon sens en

digne cosmatelot qu'elle est et qui a l'habitude de l'orientation et de l'observation, suggère de gagner le point culminant de ce relief. De là-haut, explique-t-elle, nous aurons loisir d'embrasser un vaste champ de vision, ce qui vaudra mieux que cette promenade à l'aveuglette.

Les fumerolles dansantes ne nous quittent pas. Elles continuent à créer autour de nous une guirlande mouvante, dont les tons chatoyants sont des plus agréables.

Nous finissons par nous accoutumer à ces présences et au bout d'un moment, persuadés qu'elles ne sont nullement hostiles, nous nous sentons rassurés.

Nous marchons. Les deux soleils dardent. Le climat est très sec et en fait de fruits nous n'avons glané que quelques baies croissant sur des semblants de cactées, durs et âpres. Mais les derniers reliefs de nos provisions sont pratiquement épuisés et si cela continue il faudra nous contenter d'un tel menu.

Il est vrai que la planète doit offrir d'autres zones avec peut-être une végétation différente. Et puis l'eau ne manque pas.

Nous escaladons péniblement les collines, pas élevées, mais dont le sol rocheux, hérissé de cailloux coupants, de failles nombreuses, de ravines et de sortes de cratères, rend l'ascension assez épuisante.

Les pieds et les genoux en sang, nous finissons par gagner un plateau rocheux qui surplombe la falaise où coule le torrent. Les fume-

rolles oscillent autour de nous, tels de mystérieux flambeaux d'au-delà.

Nous découvrons un immense paysage ainsi
que Nora l'avait presenti.

Ce n'est pas une île certainement, mais un
continent. La vue s'étend à l'infini. Des montagnes, çà et là, dont quelques-unes fument en
coloris variés. On voit aussi, et c'est heureux,
de larges bandes vertes et ocre indiquant les
bois, et l'argent des cours d'eaux reflète l'astre
double, rutilant et smaragdin.

Un long moment nous explorons du regard.
Des oiseaux, ou tout au moins des êtres ailés,
passent dans le ciel, évoluant entre les nuages.
Ils sont évidemment de grande taille et évo-
quent plus des mammifères que des volatiles.
Mais ils sont trop loin pour les détailler.

C'est Ktis qui aperçoit enfin ce que nous
cherchons.

— Astronef ! dit-il.

Un mot très simple. Ses yeux sans prunelles
sont décidément acérés. Oui, il a raison. A la
corne d'un petit bois, mais au moins à trois ou
quatre kilomètres en ligne droite, le vaisseau
spatial.

Le nôtre. Enfin, celui des Xamlis. Je n'avais
pas rêvé, les Harmonieux nous ont rendu un
fabuleux service. Et la boussole fantastique
manipulée par Patrick a bel et bien précipité
dans l'espace-temps le navire du Poisson Austral en même temps que nos modestes personnes.

C'est un cri de joie général, qui se change en stupéfaction l'instant d'après.

Malgré la distance, nous voyons. Une horde humaine jaillit du sas du vaisseau de l'espace. On les distingue parfaitement. Des Xamlis ? Des O ? Impossible de discerner, mais il semble bien qu'ils aient tous la combinaison spatiale, à peu près uniforme à travers le cosmos. Et ces hommes, c'est clair, c'est indéniable, sont saisis d'une frénésie collective.

Ils courent, ils vont, ils se roulent sur le sol. Quelques-uns filent comme des fous vers une rivière proche. D'autres s'enfoncent dans le bois.

Ils ont tous, en commun, un geste à peu près analogue. C'est tellement net que nous ne pouvons pas ne pas le remarquer.

— Qu'est-ce qu'ils ont ? demande Waïla.

— Qu'est-ce qu'ils font ? interroge Ktis.

Patrick prononce :

— On dirait qu'ils portent la main à leur tête, aux deux côtés de leur tête...

— ... Comme s'ils se bouchaient les oreilles, complète la subtile Nora.

Je sursaute. Je crois avoir compris.

— Les Discordants !

Je suppose qu'il s'agit d'une attaque du peuple invisible, rival de nos amis les Harmonieux. Est-ce que je me trompe ?

Pendant un moment, nous regardons la scène. Nous sommes si loin que nulle intervention n'est possible. Et, d'ailleurs, comment interviendrions-nous ?

Je regarde en soupirant les fumerolles qui vacillent toujours en un arc-en-ciel invraisemblable. Dans quel monde de dingues sommes-nous tombés ?

Mais Patrick prend une décision.

— De toute façon, cette fois, nous savons où il faut aller !

On repart. On redescend vers la plaine, tournant le dos à la mer.

La nuit vient. Mais cette fois, elle est très courte. Sur ce terrain difficile, nous avons marché sans arrêt, mais très lentement. Les deux femmes sont très lasses et les hommes serrent les mâchoires pour ne pas paraître ce qu'ils sont.

Quand les deux soleils commencent à effleurer l'horizon l'un après l'autre, nous constatons la disparition des fumerolles. L'astronef est très proche.

On ne voit d'abord personne. Puis un cri, un appel. Le sas s'ouvre.

Dix hommes, puis vingt, trente se précipitent, Xamlis et O mélangés.

Patrick et Nora tombent dans les bras de leurs coplanétriotes. Ktis entre ceux des siens.

Waïla et moi, les deux Terriens, assistons un peu à l'écart à ces effusions ; mais au bout d'un moment on vient vers nous et on nous fait bon accueil à notre tour.

Tout s'explique petit à petit au cours de la journée. L'astronef, saisi dans les radiations de haute fréquence de la boussole, a été précipité ici. Les Xamlis et les O, leurs conquérants, n'ont pas tardé à faire la paix devant le péril commun, et n'avaient plus qu'à partager leur infortune. Ils ont toujours cru que Nora, commandant l'astronef, et Patrick, haut dignitaire de Xamlis, se trouvaient eux aussi sur cette planète. D'où leur volonté de demeurer là jusqu'à ce qu'ils les aient retrouvés. De temps à autre, ils faisaient une incursion de circumnavigation au-dessus du continent, de l'océan, des îles voisines. Sans jamais nous apercevoir.

Un inconvénient : les attaques des Discordants. Car je ne m'étais pas trompé, ces êtres invisibles sont redoutables. Il paraît que leurs voix atteignent parfois un tel diapason que la situation devient intenable, que cela agit terriblement sur les nerfs et risque de détraquer l'homme le plus équilibré. Hier, de très loin, nous avons assisté à une de ces agressions contre lesquelles, jusqu'à nouvel avis, on n'a pas trouvé de parade.

Patrick écoute cela avec attention. Je vois bien qu'il a une idée, mais il n'en dit rien.

Bientôt, il apprendra avec joie que les cosmatelots ont réussi à faire le point : nous sommes sur une planète satellite d'un système double et voisine de l'étoile 61 du Cygne.

L'homme du Poisson Austral laisse éclater sa satisfaction. Il va pouvoir utiliser la boussole. Après quelques tâtonnements, à présent qu'il peut situer le point de départ, il estime qu'il parviendra à nous translater, astronef et équipage, jusqu'au Poisson Austral, jusqu'à Xamlis. Ou tout au moins à proximité et ce ne sera plus qu'une simple manœuvre du navire pour gagner la planète.

J'ai cru comprendre que Nora préférerait, si l'astronef est réputé en état, utiliser ce qu'on appelle les voies normales pour le retour au bercail planétaire, à savoir envol, plongées sub-spatiales et descente stratosphérique. Mais il semble que Patrick, vraiment enthousiaste de la boussole du temps, mette un point d'honneur à l'utiliser de nouveau pour franchir la formidable distance qui sépare Xamlis de 61 du Cygne.

Maintenant, tout le monde fraternise et les deux équipages, après le conflit, n'en forment plus qu'un. On fait fête à l'alliance Nora-Ktis qui symbolise heureusement cette rencontre. Je me dis bien que cela posera des problèmes dans un avenir proche. Si nous regagnons Xamlis, les O seront considérés comme enne-mis, donc faits prisonniers. Mais je garde mes réflexions pour moi.

En attendant, le séjour se poursuit. Trois ou quatre de ces journées à la durée fantaisiste et si tout va bien on repartira. Mais il est opportun de vérifier minutieusement les moin-dres rouages du vaisseau spatial. Nora a repris le commandement avec autant d'autorité que de compétence. Il est certain qu'elle goûte peu le projet de Patrick et préfère sa machine aux caprices plus qu'aléatoires dans leurs effets de la boussole, invention géniale mais dangereuse.

Mais il est dit que nous ne quitterons pas ce monde sans un dernier incident.

Le départ est fixé au surlendemain. En principe, tout va bien à bord et le navire sera fin prêt. Les cosmatelots, O et Xamlis mêlés, ont chassé et pêché. Mammifères, oiseaux, poissons, on a fait provision en abondance. Patrick a un léger sourire devant de tels préparatifs. Je le soupçonne de nous préparer quelque tour, ne serait-ce que pour faire pièce à Nora. Elle lancera son vaisseau à travers l'espace et le subespace et... elle se retrouvera à Xamlis avant d'avoir eu le temps de faire ouf ; si la boussole le veut, bien entendu.

Il fait beau, après un orage violent. Au loin, sur les collines bordant l'océan, je distingue les fumerolles multicolores. Créatures incompréhensibles mais qui ne quittent pas leur domaine. Ici, bois et plaines sont de type à peu près terramorphes. Les cosmatelots s'affairent, unissant leur science et leur bonne volonté sous la haute direction de Nora.

Patrick est assis dans l'herbe. Waïla et moi, nous demeurons avec lui. Je ne suis pas capable de participer à la manœuvre. D'ailleurs, je suis en général si maladroit que je ne servirais pas à grand-chose.

L'homme du Poisson Austral met la dernière main à ses préparatifs à lui. Il faut dire qu'il semble satisfait car il manie la boussole avec dextérité. Aussi, au fur et à mesure qu'il règle ce qu'il appelle les séquences espace-temps, je vois apparaître nombre de ces fantômes qui ont causé tant de perturbations à la tour des nuages.

Des êtres morts depuis des siècles... ou qui vivront plus tard, bien plus tard.

Des animaux inconnus, des paysages merveilleux situés dans des planètes qui ne seront peut-être jamais découvertes. Des fragments de l'histoire du monde nous sont ainsi offerts.

Spectacle de miracle ! J'avoue que cela me séduit. Mais ce ne sont le plus souvent que de fugaces apparitions. Patrick tourne les manettes d'un degré et, aussitôt, on passe du XXIVᵉ siècle de Cassiopée à la genèse de la Chevelure de Bérénice, ou bien de la fin de la Terre à l'âge d'or sur l'étoile Delta de la constellation des Gémeaux où des entités vivent dans la fournaise solaire.

Et c'est l'attaque !

Les Discordants, pas besoin de me faire un dessin !

L'horreur ! Ce que j'avais perçu dans les ruines de la ville-labyrinthe n'était qu'un doux murmure en regard de ce qui se manifeste ici. Patrick nous a vivement fait signe de nous boucher les oreilles. Je le vois horriblement crispé, alors que Waïla se tord au sol, se plaque le visage sur l'herbe, sanglotant convulsivement. Partout, les cosmatelots fuient épouvantés, cherchant à ne plus entendre.

Ne plus entendre ! Je le voudrais aussi. Cela vous vrille les tympans, vous pénètre, vous taraude le cerveau. Pendant quelques instants, je crois que je vais devenir fou et je me rends vaguement compte que c'est l'impression générale.

Je vois Nora courir. Certains hoquètent, d'autres vomissent. Tous fuient en débandade. Démence ! Abomination !

Patrick s'est levé. Il fait de grands gestes. Il est très pâle et lutte visiblement contre l'atroce malaise. Que fait-il ?

Dieu de tous les cosmos ! Dans un moment pareil !

Il chante !

Il chante comme il a chanté quand il s'est uni aux Harmonieux qui apaisaient le fantôme de lumière qui creusait l'océan pour nous engloutir dans le maelström.

Il chante et il nous invite tous à chanter avec lui !

Comme si l'on pouvait en avoir envie, dans ce vacarme de cent mille sirènes, d'un milliard de cloches, d'un infini de vibrations, d'un univers d'insectes bourdonnants qui envahit nos malheureux crânes !

Mais dans mon désarroi, je sais qu'il a raison. Je me souviens du combat des Harmonieux et des Discordants ! Je le lui ai raconté dix fois et il s'en souvient, et il fait confiance aux amis invisibles, contre ces monstres destructeurs.

Alors je vais, moi aussi, donner l'exemple. Je chante. Je ne sais trop ce que je chante. Moi qui, d'ailleurs, quand j'entame un air, m'entends rabrouer par tout mon entourage !

J'essaye d'écouter Patrick et de me régler

sur lui. Les Discordants sont déchaînés. Jamais je n'aurais pu imaginer qu'ils atteignent une telle fréquence !

Je voudrais marcher. Je ne puis pas. Les cosmatelots se sont égayés autour de l'astronef et je conçois qu'à l'intérieur, avec l'écho, la position doit être intenable.

Nora chante. Oui, je le crois. Je vois ses mouvements buccaux tout au moins.

Et c'est une fois encore la magie orphique qui l'emporte. Dans les grondements abominables des Discordants, je distingue soudain des sonorités infiniment plus suaves qui parviennent à ne pas être couvertes. Les Harmonieux ont répondu à l'appel et accourent en foule. Une armée invisible contre une autre armée invisible.

Cela dure, dure. Patrick chante. Nora chante, et moi, je fais ce que je peux.

La symphonie harmonieuse se développe, monte, s'enfle, grandit, s'épanouit en accords prodigieux. Le chaos discordant paraît se discipliner. Petit à petit, les derniers grincements, les suprêmes stridences s'assouplissent.

Le S.O.S. chanté de Patrick a alerté les Harmonieux et les Discordants, cette fois, ont cédé le terrain. Tout rentre dans l'ordre et on entend de nouveau le chant des oiseaux, qui s'étaient tus, effrayés par cette terrible bataille sonore.

A l'heure dite, c'est le départ.

Nora et Patrick ont trouvé un terrain d'entente. On quittera le monde de 61 du Cygne sur le mode normal des astronefs et, en plein vide, Patrick tentera l'expérience avec la boussole, pour nous translater d'un seul coup jusqu'à Xamlis du Poisson Austral.

En cas d'échec d'un procédé, on pourra toujours recourir à l'autre.

Je regarde, par le panoramique du bord, cette curieuse planète qui s'éloigne dans l'espace. Je rêve un peu. Ce voyage m'a montré des choses fantastiques.

Patrick est non loin de moi. Lui aussi observe ce monde que nous quittons.

— On lui dit adieu, fais-je. Jamais nous n'y reviendrons ! En fait, puisque tu veux que nous allions rechercher la nef immobile, nous avons perdu beaucoup de temps et cette escale n'a pas servi à grand-chose...

Il me regarde. Je vois étinceler ses yeux de sombre agathe.

— Inutile, cette escale ? En es-tu bien sûr ?

Que mijote-t-il encore ? Il s'éloigne en me faisant un signe amical et me dit avant de disparaître :

— La solution... nous la trouverons peut-être grâce à 61 du Cygne !

TROISIÈME PARTIE

LA NEF IMMOBILE

XIV

Cette énorme étoile qui apparaît parfois même en plein jour, c'est Fomalhaut, puisque je suis sur Xamlis, petite planète satellite d'un petit soleil de la constellation du Poisson Austral.

Nous sommes arrivés sans encombre, mi par la direction de Nora, mi par les effets de la boussole, Patrick s'étant diverti à nous faire franchir des distances incommensurables par projection espace-temps.

Maintenant, je suis en quelque sorte en pension à Xamlis. Un monde à la fois très technique et très agreste. Climat chaud et agréable, hydrographie abondante, ce qui favorise une vie sans trop de problèmes. Cependant, la gent savante a bien travaillé et amené l'industrialisation et la technique à un degré très avancé, dont la boussole (conçue il y a trois siècles déjà) est un exemple.

Je regarde Fomalhaut sans la voir, à présent. Je suis soucieux.

Je vais faire les frais de la grande expérience qui se prépare. Cette expérience qui est le but de toutes nos aventures. Les Xamlis, menés par Patrick, ne sont venus sur la Terre et jusqu'à la tour des nuages en concurrence avec les O que pour cela : retrouver la boussole et, parallèlement, l'imprudent qui s'en était rendu acquéreur. Et cet imprudent se trouve, ô coïncidence, être le portrait vivant d'un des mystérieux cosmonautes accompagnant la fille aux yeux gris.

Nora a repris un commandement. Les O ont été traités avec grands égards et si la paix n'est pas encore faite avec leur planète, la rencontre dans des conditions aussi surprenantes de deux commandos a fait beaucoup pour l'éventualité d'un accord.

Waïla s'accommode fort bien de la vie à Xamlis. Moi, un peu moins bien.

Je regrette les miens, mon mode de vie. Et je redoute ce qui va suivre.

Un synode s'est réuni à plusieurs reprises depuis notre arrivée. Toutes les sommités de Xamlis, les hauts fonctionnaires, les dignitaires les plus élevés, sans compter les journalistes planétaires, assistent à de fantastiques séances.

Par définition, je dois toujours y être présent. Patrick est le héros qui mène le jeu. Il semble que la boussole n'ait plus guère de secrets pour lui et dans un bâtiment en forme de sphère où est construit un gigantesque planétarium, on le voit arriver avec l'objet. Il le règle et, devant une assistance ébahie, il nous montre l'histoire cosmique sous toutes ses faces. D'une époque en une autre, d'une galaxie en une différente. Les êtres et les choses, les événements historiques, les lancées les plus audacieuses vers des univers insoupçonnés deviennent à notre portée.

J'avoue que c'est fascinant. Mais je sais aussi que la boussole peut aller plus loin, beaucoup plus loin, à savoir, selon un certain réglage, agir sur les personnes comme sur les choses, voire les astronefs, et les projeter quelque part dans l'univers... et même en dehors, comme le croit Patrick.

Ces « représentations » ont un énorme succès et tout Xamlis en parle. Quant à moi, on m'entoure d'égards, mais on me prépare à ma destination : être lancé, seul, hors du temps actuel, pour joindre la nef, la nef immobilisée depuis trois siècles parce que la boussole, justement, lui a manqué.

Et cela ne m'enchante guère. J'ai peur !

On a suscité plusieurs fois la vision de la nef. Seule image dans ce déluge de films animés qui demeure stagnante. Les sages de Xamlis demeurent formels : depuis trois siècles ils n'ont pas évolué. Ils sont figés une fois pour toutes.

Peut-on les sauver, les arracher à un tel destin ? On pense communément que oui et Patrick semble le croire encore plus ardemment que les autres.

Moi, je doute.

Ce qui m'épouvante, c'est que, si je rejoins la nef, je sois à mon tour immobilisé. Fixé pour l'éternité. Je ne suis pas très fort en métaphysique. Je me dis que la vie a ses lois, qu'on doit naître, vivre, mourir. Après ? Je ne sais plus. Mais je me dis que c'est normal, simple, naturel. Tandis que cette immobilité sans fin est quelque chose de tellement atroce...

Patrick et moi, nous nous rencontrons fréquemment, presque chaque jour de la planète. Je vois aussi Waïla. Elle a été un peu éberluée, au départ, quand elle a appris que la polygamie était fréquente à Xamlis. Patrick lui a présenté ses quatre épouses. Elle croyait naïvement être la seule dans son cœur et par voie de conséquence, dans son lit. Elle a dû se faire une raison.

D'ailleurs, ces quatre créatures, toutes charmantes, lui ont fait le meilleur accueil. Les mœurs de Xamlis sont aimables. J'ai été convié à des réceptions et on m'a fait comprendre que j'aurais le plus grand intérêt à me fixer ici, à choisir au moins deux ou trois compagnes et envisager l'avenir.

Cela ne fait guère mon affaire. Je pense à la Terre, à ceux que j'y ai laissés, à la tour des nuages.

A Nathalie.

Mais il est vrai que je continue à balancer. L'image de la fille aux yeux gris, suscitée par la boussole à plusieurs reprises, ne laisse pas de me bouleverser. Ce diable de Patrick, je m'en suis rendu compte, m'observe chaque fois qu'il y a une séance de boussole. Et quand cette beauté apparaît, il me glisse un regard malicieux. Il sait que je ne peux demeurer indifférent, d'autant qu'il y a près d'elle cet autre moi, ce qui complique les choses.

Ainsi, du moins en pensée, je trompe Nathalie, encore que nous n'ayons jamais échangé, il faut le dire, de serments éternels.

Tout cela me dépasse, c'est trop fort pour moi. Je voudrais retourner sur la planète qui m'a vu naître et reprendre mon petit emploi à la tour des nuages.

Seulement, c'est un peu loin. Au planétarium, il m'est aisé d'estimer la distance qui sépare le système solaire de la constellation du Poisson Austral.

Cependant, j'ergote. Je discute. Après tout, je vais faire les frais de l'expérience. Je pose des questions aux sages :

— En admettant que ce soit moi, moi réincarné qui apparais dans le cockpit de la nef, je peux supposer que cette fille, comme d'ailleurs les autres cosmatelots, ne sont plus que des apparences et que, selon votre croyance, ils ne sont réincarnés eux aussi...

Le collège de la sapience n'a pas été ébranlé par un tel argument.

On m'a rétorqué que j'avais peut-être raison,

que ceux de la nef vivaient, ou du moins étaient susceptibles de vivre, sous d'autres apparences, en divers mondes. Mais c'était justement l'intérêt de la recherche. Projeté dans cette immobilité, j'allais découvrir la vérité. De là, j'établirais un lien entre celui que j'avais été et celui que je suis actuellement, et la science ferait un pas formidable en avant.

Car avant tout, on veut savoir ce qui en est de la pérennité de l'âme, de ses migrations d'un corps en un autre, sans doute aussi d'un univers en un autre, dans le grand voyage de l'éternité.

J'ai le vertige. Ainsi, je vais être le jouet de l'infernale boussole, je serai précipité dans cette immobilité, puis ramené, puis...

Non ! Non ! Je me révolte !

Une scène très violente avec Patrick, qui prend les choses avec sa sérénité olympienne habituelle. Il a la boussole près de lui. Il se tait soudain, après quelques paroles apaisantes et déclenche l'appareil.

Je revois la nef immobile.

Je la revois, elle.

Et moi à ses côtés.

Je ne sais comment il s'y prend, mais il manœuvre le temps et l'espace à son gré avec une habileté diabolique. Et c'est comme un agrandissement photographique de haute fidélité.

Je vois... je « me » vois, de très près.

L'image monte, grandit, devient immense. Je vois « mon » visage, « mes » yeux.

Et je plonge dans ces yeux qui sont les miens.

Au fond, naturellement, une double image rétinienne.

Elle...

Je m'effondre, vaincu. Patrick m'a possédé une fois encore. Il vient de me démontrer que celui qui est à bord de la nef et qui me ressemble mieux qu'un frère est axé sur la fille aux yeux gris. Qu'il la regarde de telle sorte qu'il n'y a pas à s'illusionner sur ses sentiments.

Bouleversé, je me sens envahir par cette vérité que je cherche à contrer depuis le début. Pauvre Nathalie ! Je me cramponne à sa vision, je tente de rappeler nos voluptés, nos caresses... Tout cela s'envole pour le céder à l'impérieuse image.

Je t'ai aimée dans une autre existence... Et je t'aime encore !

Toi qui... Mais je ne sais rien de toi !

Et je veux savoir !

C'est précisément là que voulaient m'amener ceux de Xamlis.

J'ai accepté l'expérience.

*

On a beau être très malin, on ne joue pas aussi aisément avec le temps et l'espace. Patrick en a fait l'expérience... et moi les frais !

Parce que, devant le synode retenant son souffle, mon ami du Poisson Austral a essayé de m'expédier dans la zone énigmatique où demeure la nef immobile.

Je suis toujours considéré comme un personnage important, ce qui me gêne beaucoup. Je suis perpétuellement mal à l'aise. D'abord parce que je ne m'habitue pas à la vie de ce monde si différent du mien. Ensuite parce que j'ai toujours vécu comme un petit fonctionnaire sans envergure, et pour cause, et les salamalecs des dignitaires de Xamlis ne me conviennent guère.

Quoi qu'il en soit, j'ai donc été amené dans le planétarium qui sert de base de départ aux lancées spatio-temporelles, avec la mirifique boussole pour tremplin.

J'ai un peu l'impression d'être quelque chose comme une victime propitiatoire, un agneau bêlant qu'on va immoler sur le sacro-saint autel de la science. En fait, le synode de Xamlis veut moins sauver les corps et peut-être les âmes de la fille aux yeux gris et de ses cosmatelots que de comprendre ce qui s'est passé et plonger ainsi dans les arcanes de la réincarnation. Un problème qui démange d'ailleurs également bon nombre de Terriens.

Ainsi donc, j'ai été prié de grimper sur une estrade d'où les cameramen xamlis pouvaient me mitrailler à leur gré. On m'a posé un tas de questions auxquelles je réponds de mon mieux, en me prenant encore la langue dans les méandres de l'idiome planétaire. Et Patrick a réglé la boussole.

Et j'ai été effacé du planétarium.

Première incursion. Rien à voir avec la nef. J'étais dans un monde désertique, une plaine de cailloux. Rien que des cailloux. Un ciel rose foncé, presque rouge. Un vent violent. J'ai évoqué la planète Mars. Après tout, c'était peut-être ça !

Tout de suite, j'ai été terrorisé. J'étais perdu. La boussole, par suite d'une erreur de calcul, m'avait projeté... Dieu savait où ! Patrick allait-il s'en rendre compte ? En principe, oui, il était convenu qu'on procéderait à certains tâtonnements afin de vérifier ma position.

J'ai retrouvé le planétarium avec soulagement et pour une fois j'ai respiré avec satisfaction son air climatisé qui, pour xamlisien qu'il soit, n'en contient pas moins de l'oxygène en abondance.

On m'a réconforté. J'étais un peu inquiet. Si à la prochaine lancée je me retrouvais coincé quelque part dans les entrailles d'un soleil ? Pas impossible ! En ce cas, il faut en convenir, les expériences seraient promptement arrêtées. Ce n'est certainement pas demain la veille que les Xamlis retrouveraient, à travers l'immensité du cosmos, un deuxième cosmatelot de la nef immobile réincarné pour leur permettre de tenter de nouveau le contact inter-spatio-temps.

Que se passe-t-il ? Patrick a-t-il perdu la main ? Il a fait réapparaître la nef et nous avons tous revu, depuis le planétarium, l'image de ces astronef démodé, figé, avec son équipage aux grands yeux fixes, où scintillent malgré tout ceux de l'étrange fille-cosmatelot.

Moi, je me suis prêté à une autre lancée. Ai-je le choix ? Non, certes, et puis je me pique de plus en plus au jeu. Cette femme, je veux la rejoindre. Est-ce que je l'aime réellement ? Est-ce parce que je suis vraiment le cosmatelot réincarné qui la couve de ses regards brûlants de désir ? Ou seulement parce que la formidable personnalité de Patrick m'a subjugué ? Je ne sais, mais je veux savoir !

Cette fois encore, la lancée est une erreur. Je croule sur un buisson épais, me griffe à des ronces. Des créatures grouillent sous moi, vraisemblablement dérangées dans leur sieste, ou leur affût. Cela fuit, s'égaye alentour et j'ai à peine le temps de les distinguer. Reptiles, sans doute, mais munis de courtes pattes. Et il y a des oiseaux, des insectes. La chaleur est accablante et très humide. Des buissons chantonnent, je m'en rends compte. Ce n'est pas le vent, inexistant ici. Mais bel et bien une sorte de mélopée qui émane de la gent végétale.

Curieux monde, dont je ne saurai jamais rien car Patrick, grâce à de subtils contrôles, m'a promptement ramené à Xamlis.

Je suis déjà fatigué de ces incursions inter-cosmiques. Je ne sais trop où j'en suis et ce que cela me réserve. Les membres du synode m'entourent. D'exquises hôtesses sont présentes. On m'offre à boire, on me masse, on me dorlote. Tout cela, bien entendu, avant la troisième tentative.

Une fois encore, on m'a montré la nef. Et elle. Autrement dit de façon plus triviale : la carotte pour appâter le pauvre âne que je suis.

En route, Guy Mathias. Tu repars et ton corps, devenu provisoirement impalpable par la vertu de la boussole du temps, va te précipiter... où ?

Il fait noir.

Il fait noir et je ne vois rien. Je ne sens rien. Je ne sais même pas si je repose sur quelque chose. Un sol ? Un plancher ? Ou quoi ?

Il fait noir et je ne ressens rien. Et j'ai peur. La peur atroce, la peur abominable qui prend aux entrailles. Ce qui me fait tout de même comprendre que je vis encore, que je demeure tangible.

Naturellement, je me pose la question la plus classique qui soit : où suis-je ?

Personne, non moins naturellement, ne me répond.

Quel est ce gouffre, quel est ce néant ? Je me risque à palper autour de moi mais mes doigts s'agitent stérilement dans le vide.

J'appelle. Rien. Pas même un écho. La voix se perd dans cette ombre totale. Il me semble que ce qui est autour de moi est sans fin. Je suis dans le rien, ce qui, évidemment, ne veut pas dire grand-chose.

Je me rends compte que je flotte et comme je suis malgré tout encore en chair et en os, cela me donne des nausées, malaise bien connu de ceux qui ont éprouvé le phénomène d'apesanteur, ce qui arrive parfois sur les astronefs où le système d'antigravitation est détraqué, ou quand on plonge dans le subespace.

Je hoquète, je me débats, il me semble que je tournoie sur moi-même, que je suis une sorte de ludion dans un bocal d'éternité.

Rien. Rien. Le noir. Plus que le noir. Au-delà du noir et du rien.

Le planétarium. Le synode au grand complet. Patrick et sa boussole.

Il a l'air contrarié. Et moi donc !

Les hôtesses recommencent à m'abreuver, à me bichonner... On m'assure que c'est assez pour ce jour et on me reconduit chez moi avec mille égards.

Mais je sais bien qu'il faudra recommencer et, en effet, on recommence. Je ne sais plus trop où j'en suis, mais mon seul stimulant est l'image de celle dont je ne parviens toujours pas à prononcer ni même à penser convenablement le nom. Parce que si je commence à m'exprimer à peu près en xamlis, il m'est toujours aussi difficile de connaître les appellations de tous ces gens.

Troisième tentative. Je suis crispé et je vois bien que Patrick, qui redoute un nouvel échec, ne l'est pas moins que moi. Pourtant, il m'encourage comme toujours, me parle avec gentillesse. Mais je commence à douter.

Comment cela s'est-il trouvé ? J'ai refait un séjour dans ce vide horrifique et quand je suis revenu, je me suis révolté. Je ne veux plus retourner « là-dedans ». Je le dis sans ambages, dans un mauvais xamlis, mais avec toute l'énergie dont je me sens capable.

Les membres du synode font de tristes mines. Pour eux, cette expérience est capitale et je suis le sujet idéal, eu égard à ma ressemblance avec ce cosmatelot alors que je commence à me dire que cela est sans doute parfaitement fortuit.

Patrick, pour une fois, ne me dit rien. Il est dérouté. L'inventeur de la boussole est mort depuis des siècles en négligeant de dévoiler ses secrets. Il faut donc continuer à l'utiliser empiriquement. Moi, j'ai une telle horreur du gouffre mystérieux où j'ai été projeté deux fois, que je déclare renoncer à jamais à servir de cobaye pour rejoindre la nef immobile.

On me donne assurance que rien ne se passera plus pour moi de désagréable, que je suis l'hôte de Xamlis, et je ne sais quoi d'aimable encore.

Deux jours se passent. Ma vie n'est pas désagréable, mais je m'ennuie terriblement et je m'aperçois qu'un souci me ronge : jamais je ne rejoindrai la fille aux yeux gris. Ni Nathalie. Et les belles de Xamlis qui me font des sourires me laissent indifférent, du moins jusqu'à nouvel avis.

Un matin, je me réveille. Stupéfait. Parce que je suis dans le planétarium.

Assis sur un siège placé sur l'estrade que je ne connais que trop bien.

Le synode en son entier m'entoure. Patrick est là, avec la boussole.

On me dit gentiment qu'il faut me faire une raison, faire preuve de bonne volonté. Cette fois sera la bonne et je vais rejoindre la nef figée depuis trois siècles.

Je proteste. Je hurle. Je me débats ou plus exactement je cherche à le faire.

Je suis lié au siège. On a tout prévu. Et j'ai l'atroce impression de me trouver tel un condamné sur un échafaud.

Patrick évite mon regard.

Je lui crie :

— Tu m'as trahi !... Je te prenais pour un ami !...

Il a fait jouer la boussole.

XV

J'ai rejoint la nef immobile.

Et moi aussi je suis... mais aucun mot ne peut exprimer ce que je ressens.

Pourtant, je suis. Je vis. Immobile, mais conscient.

Ce qui m'entoure ? La nef. Le cockpit de la nef. Un navire spatial qui a été conçu et construit selon des normes qui n'existent pas, qui n'existent plus, même sur Xamlis.

Et plus loin ? Au-delà de la nef ? Une sphère infinie, dont je suis bien incapable d'estimer la nature et les dimensions.

Je vis, c'est certain. Et je me moque éperdument de la nef immobile. Il n'y a plus qu'« elle » qui compte.

Je suis avec elle. Elle est désormais mon univers, mon infini, ma sphère sans limites.

Patrick avait raison : c'est mon amour que j'ai enfin rejoint.

Parce que je ne souffle pas. Je suis heureux, béat.

Aucune sensation physique me semble-t-il. Tout est purement d'ordre spirituel.

Elle est là. Tu es là. Je t'aime. Je suis dans un état qui est peut-être paradisiaque. Mais sans décor suranné, sans fioriture aucune. Rien de spectaculaire en la circonstance. Je me contente d'être et d'être avec elle.

Avec elle. Près d'elle. Totalement en elle. Notre union est si intime que je ne suis plus moi, mais elle..

J'ai atteint l'absolu. Si j'avais encore des sensations, si je possédais un cerveau, je me poserais sans doute des questions : cet état est insensé, invraisemblable, contre nature. Ce n'est ni la vie ni la mort.

Seulement, je ne me demande rien parce que je n'ai rien à me demander. C'est ainsi. La déesse est enfin rejointe par son pauvre amoureux. Non plus une idole, mais une réalité.

C'est si bon de ne pas penser, de ne plus s'interroger... Ce doit être cela le nirvâna. Ce nirvâna qui signifiait en propre : anéantissement.

Oui, mais voilà. Malgré tout, je ne suis pas anéanti.

Je possède la fille aux yeux gris et il me semble que je me suis fondu dans l'universalité de ces yeux gris, qui m'ont valu tant de tribulations.

Je la possède ? Un terme sans doute bien

inexact. Je n'ai plus de corps. Et elle ? Plus rien non plus d'une femme de chair.

La possession peut n'être pas charnelle. Socrate n'affirmait-il pas posséder totalement une créature qu'il admirait par le seul enchantement de la vue, sans le moindre contact tangible ? Mais d'abord, je ne suis pas Socrate et, ensuite, je ne contemple pas la bien-aimée idéale. Du moins pas comme un amant s'enivre de la beauté de sa maîtresse.

Je suis en pleine contradiction. De cela, je commence à me rendre compte. Parce que, justement, je me pose des questions, contrairement à ce que j'éprouvais tout d'abord.

Elle me tient lieu d'univers. C'est la déesse cosmique, la femme d'absolu. Elle est l'amour total. Cela devrait donc me combler et me dispenser de chercher plus avant. Ce qui, finalement, n'est pas le cas.

Alors, je cherche, oui, je cherche. Ce qui démontre clairement que je n'ai pas obtenu le bonheur parfait auquel j'ai pu croire en pénétrant dans cette zone de non-temps, jusqu'à cet astronef qui a échappé à la fois au mouvement, au vieillissement, à toute évolution quelle qu'elle soit.

Certes, j'ai éprouvé le mystérieux bonheur d'atteindre à un amour ineffable. Mais je réalise également que cela ne saurait me satisfaire indéfiniment. Pourquoi ? Je suis bien incapable de le dire. Je le sais, c'est tout.

Je m'interroge. Cette fois, il me faut comprendre. Au moins une certitude : je suis bien le cosmatelot repéré dans les visions suscitées par la boussole. Je suis lui et c'est parce que j'occupe sa place, sans doute initialement ma place, que je contemple la plus belle des cosmonautes, tout aussi stagnante que moi.

Ma félicité n'aura donc duré que très peu de temps. Et je commence à raisonner. C'est une véritable lapalissade : si j'ai conscience de la durée, c'est que je vais d'un point à un autre. Et, par conséquent, que j'existe. Et que c'est par accident que j'ai rejoint la nef. Ou seulement une apparence de nef.

La nef immobile ne serait-elle qu'un leurre ?

Moi, Guy Mathias de la planète Terre, je suis sans doute un cosmatelot xamlis réincarné. Je veux bien l'admettre. Dans ma nouvelle enveloppe humanoïde, je suis projeté vers ce que j'ai été dans un autre siècle et depuis une autre planète. Mais il y a encore antithèse : j'ai cru goûter la joie sans limites et sans fin parce que je redevenais l'amoureux d'autrefois. Je n'ai pas tardé à saisir que cette sensation était bien factice. Vertige passager et rien de plus !

La nef est immobile. La fille aux yeux gris est immobile. Immobiles aussi les autres cosmatelots qui furent mes camarades.

Moi, je vis.

Je ne bouge pas parce que je suis entré dans leur segment d'éternité comme un coin dans une chair délicate. Mais au moins je comprends que je ne suis pas de leur nature.

Décalage ! Et par voie de conséquence : souffrance.

Déjà las de cet état qui n'a pas de nom, je ressens autant d'angoisse qu'au premier moment je ressentais de délices. Le paradis auquel je croyais accéder n'était qu'un faux paradis, une béatitude de pacotille.

Pourtant, j'ai enfin connaissance de ce qui est temps et de ce qui est non-temps. Je me dis que les sages de Xamlis, et Patrick leur porte-parole, avaient raison en m'envoyant dans ce monde qui n'en est pas un. La fille aux yeux gris et les cosmatelots de la nef immobile souffrent. Ils souffrent justement parce que, littéralement coincés dans le non-temps, ils stagnent et ne peuvent plus évoluer.

Ils ne participent plus à cette évolution qui est le sort et la mission des hommes de tous les univers. Il leur est impossible de lutter, de vivre, afin de continuer leur route vers la Vérité, vers la Lumière...

Ils souffrent. Celle que j'aime endure la pire des souffrances.

Est-ce que ce serait cela, l'enfer ?

Que s'est-il donc passé à bord de la nef ? J'ai su, à Xamlis, que son équipage, strictement sélectionné, avait embarqué avec la boussole et qu'il était dans le rôle du bord de s'éloigner de tout astre afin de tenter des expériences, de lancer le vaisseau spatial hors temps.

J'endure le martyre, tout à coup. Parce que je sais ce qu'ils endurent, et ce qu'elle endure, elle. Elle que je veux arracher à sa funeste situation.

Les sauver ? Pour cela, il fallait ce qui les avait perdus : à savoir la boussole, cette invention démentielle qui leur a permis de s'engager en deçà du temps.

Mais la boussole, des humains tangibles la possèdent. C'est aussi grâce à elle que j'ai pu joindre la nef, son équipage, la déesse au beau regard gris, et même celui que j'étais, tous figés comme en un point zéro, non cosmique.

Quand Patrick, faisant jouer la boussole, me ramène à Xamlis, *je sais*.

*
**

Après de telles séances, je suis dans un triste état. Mais, cette fois, encore que très las, brisé, moulu, je suis infiniment moins asthénique qu'aux autres rencontres avec les points les plus extravagants du continuum. Tout au contraire, en dépit de ma fatigue, je suis fébrile, je veux m'exprimer. Il faut que je parle, que je parle, que je dise ce que j'ai vu, ce que j'ai constaté, ce que je crois avoir compris...

Il y a, autour de moi, l'aréopage xamlisien, comme toujours. Et aussi Patrick, mais maintenant, je ne songe plus à l'incriminer et à l'accuser de trahison envers moi. C'est même à lui que je m'adresse plus particulièrement.

Je narre, aussi précisément que possible, ce que j'ai plus éprouvé, ressenti, que vu véritablement.

C'est d'ailleurs bien malaisé, d'autant que les difficultés de la langue de Xamlis m'échappent encore. Alors, ce bon Patrick me conseille gentiment de m'exprimer en franco-terrien, à charge pour lui de traduire au fur et à mesure le récit de mes impressions pour les illustres membres du synode qui nous entourent.

Difficile de faire comprendre qu'on a rencontré la femme idéale. Une déesse ! Mais non une divinité ou une créature aperçue, observée. Non, c'est autre chose. Il m'a semblé que je me fondais en elle, que j'étais partie intégrante de l'entité qu'elle représente. Certains amants disent puérilement à leur maîtresse : je voudrais me noyer dans tes yeux... Eh bien, il me semble que l'image est à peu près exacte en la circonstance. Oui, c'est cela. Les yeux gris... Mais je les éprouvais autrement qu'en m'hypnotisant sur leur beauté. J'étais totalement enveloppé dans leur teinte indéfinissable autant que séduisante.

Je dis tout cela, comme je le peux et Patrick, dont les yeux d'agathe reflètent l'intense intérêt, traduit immédiatement en xamlis, d'une voix posée mais qui ne peut se départir d'une teinte de légère émotion.

Ainsi donc, j'ai pu atteindre la nef immobilisée dans le temps. Seulement, jusqu'à nouvel avis, cela ne sert à rien. J'ai retrouvé, aimé, la fille aux yeux gris. Et après ? Je suis de retour à Xamlis dans mon corps normal tandis qu'elle et eux demeurent dans leur stagnation éternelle.

Je finis dans une sorte de sanglot où passe toute mon angoisse :

— Il faut les sauver !... Leur redonner un corps... dans une nef reconstruite !...

Patrick me suggère de me reposer, parce que je dis que j'ai encore des tas de choses à révéler.

Mais non ! Je suis lancé. A bout de souffle, pourtant je veux parler encore. Il me semble qu'après trois siècles d'attente, il n'y a plus un instant à perdre.

Alors, je raconte.

Je me suis retrouvé celui que j'étais. Je dis même mon nom : Paphlizz... Et je vois des échanges de regards, des hochements de tête. Les anciens documents indiquent en effet ce nom comme étant celui d'un des cosmonautes embarqués pour l'espace-temps.

Que s'est-il passé ? A l'origine, une banale histoire humaine. Paphlizz, moi, était amoureux. Amoureux de Djeml (cette fois, je ne bute plus sur ce nom à la prononciation si malaisée pour un gosier terrien.

Après ? Rivalité assez vulgaire, d'autres cosmatelots couvant du regard la trop belle cosmonaute. Et Paphlizz a perdu la tête. Il a stupidement saboté l'expérience. Oui, le coupable, c'est Paphlizz.

C'est moi.

Si je parle, si j'éprouve ce besoin de parler, c'est pour me soulager, en un mot pour me confesser, sous l'œil perçant mais toujours

empreint d'indulgence et de bonté, de mon
ami Patrick.

Oui, j'ai commis ce crime. Ou Paphlizz, je ne
sais plus. A savoir, immobiliser la nef, demeurer à jamais dans cette contemplation amou-
reuse, qui ne débouche évidemment sur rien
puisque le postulant amant était alors voué à
la stagnation sans fin, avec Djeml, et aussi
les autres, parfaitement innocents en la circonstance.

Je résume : Paphlizz n'a rien trouvé de mieux
que de se débarrasser de la boussole, d'en pri-
ver la nef qui ne pouvait « naviguer » qu'avec
son aide.

Sur un navire voguant à travers un océan,
un marin eût jeté l'engin à la mer.

Paphlizz l'a jeté « à l'espace ».

Et la nef s'est trouvé bloquée. A jamais !

Du moins tant que la boussole ne serait pas
retrouvée, qu'un Xamlis n'apprenne à s'en servir afin de joindre le vaisseau spatio-temporel
et de le remettre en marche.

Ainsi donc, Djeml a été frappée parce que,
comme plus d'une jolie femme à travers le
cosmos, elle a méprisé les hommages d'un malheureux garçon épris de sa beauté, et qui a été
victime de son délire, de son refoulement.

Par la suite, la boussole a dû connaître bien
des vicissitudes. Mais, utilisant sa propre puissance, évoluant mécaniquement, elle a sans
doute été rejetée sur une planète quelconque.
Objet réputé sans valeur au départ puis devenant petit à petit, au cours des lustres, un élé-

ment digne d'un magasin d'antiquités. Peut-être, pendant cette longue période, nul ne s'est-il jamais avisé de la faire jouer. Ou bien il est possible que le mécanisme en ait été bloqué, et que ce soit moi, tout à fait par hasard, qui l'ai remis en marche en tripotant mon acquisition.

Ce raisonnement semble satisfaire en partie les membres du synode. Toutefois, il me faut reconnaître qu'il y a un certain nombre de points qui demeurent obscurs.

Je voudrais bien en discuter avec eux, avec Patrick, mais, cette fois, je sens que les forces m'abandonnent. Heureusement, les hôtesses sont là. Rien de tel qu'une main de femme pour vous venir en aide. Sinon plusieurs mains de femmes.

Je reçois donc quelques soins, et, un peu remis, j'ai droit à une collation substantielle, arrosée d'un jus de fruits de Xamlis qui joue ici le rôle de Pam-Pam.

Allons bon ! Voilà encore que j'ai la nostalgie de la tour des nuages !

Je me retrouve dans mon domicile, un petit appartement parfaitement fonctionnel, installé dans une demeure antique fort bien entretenue. Patrick m'a accompagné.

— Couche-toi... Repose-toi, tu en as besoin !

Je suis bien. Les Xamlis ont l'art de mêler aux aliments des substances euphorisantes, je ne l'ignore pas et n'ai nulle envie de m'en plaindre.

Une hôtesse est de service à mon chevet. Elle devra veiller sur mon sommeil et satisfaire à tous mes désirs. Patrick va s'éloigner, je le rappelle :

— Dis, Patrick... il faut que nous les retrouvions, que nous les sauvions !...

— Je suis heureux de te l'entendre dire... enfin. Tu n'es plus réticent !

— Je commence à comprendre tant de choses... Ma culpabilité...

— Disons celle de Paphlizz. Il y a trois siècles de Xamlis.

— Oui. Mais il était moi et je suis celui qu'il était. Donc...

— Le remords va t'empêcher de dormir !

— Non. Autre chose, Patrick. Pourquoi moi... et moi seul ?

— Toi seul ?

— Moi seul réincarné ! Les autres, si je comprends bien, sont toujours dans la nef. Djeml, et les cosmatelots. Paphlizz y est seulement en apparence. Jusqu'à maintenant, je ne comprenais pas cette histoire de réincarnation. Eh bien, je comprends encore moins... Je suis l'exception. Je voudrais savoir pourquoi.

Patrick réfléchit un court instant.

— Dors donc, Guy... Et rassure-toi. J'ai une idée, à laquelle j'ai déjà fait allusion. Mais nous y reviendrons. Le synode va étudier la question à la lumière de tes révélations. Et puis, s'il y a la science, la technique, il y a autre chose : la sagesse...

Il a son bon sourire.

— Nous irons consulter Waïmirik, le sage des sages... Dors bien !

XVI

Un sage ! Je m'attendais naturellement à rencontrer un homme impressionnant, détaché des choses terrestres (pardon : xamlisiennes !), un anachorète rébarbatif et hautain, un ascète exfolié. Une sorte de compromis entre l'inquisiteur et le fakir. Le tout dans un ermitage austère, à la désolante sévérité.

Patrick m'a emmené en fuscooter, un engin biplace capable de piquer jusqu'à la stratosphère et qui permet de parcourir des distances importantes en un laps de temps stupéfiant.

C'est ainsi que j'ai atterri devant une ferme charmante, dans un des plus jolis paysages de Xamlis. Outre le soleil tutélaire, Fomalhaut se manifeste et offre un disque qui demeure argenté pendant le jour. La nature est vivace, riante. Des animaux, des oiseaux, grouillent alentour.

Waïmirik nous reçoit avec gentillesse. Sur

Terre, je le dirais sexagénaire. D'abondants
cheveux blancs sur un visage rieur, malicieux
même. Il s'appuie sur sa compagne. Elle a
dû être très belle. Brune autrefois, argentée à
présent, elle garde d'admirables yeux noirs.
De cette grande femme, encore mince, il a
eu des rejetons dont nous voyons les portraits,
en cet holocolor de Xamlis qui présente les
sujets en un relief saisissant. Trois gars soli-
des et, sur un autre plan, une admirable créature, un rêve de chair. Brune comme sa mère,
elle est montrée nue et allaite un petit enfant.
Le petit-fils du sage.

Voilà ! Waïmirik est considéré comme l'adorateur n° 1 de l'Inconnu, ainsi désigne-t-on le
dieu créateur. Waïmirik enseigne qu'on doit
l'honorer en profitant de ses dons, avec assez
de mesure pour ne pas céder à l'intempérance
et à la débauche. Il estime qu'aucun dogme
n'est valable puisqu'on ne saurait avoir de relations avec la divinité, et que les rites obser-
vés sur diverses planètes ne sont que des
conventions sans valeur, des mises en scène
destinées à frapper l'imagination des naïfs.
Servir l'Inconnu, pour lui, c'est vivre. Il ré-
fute aussi le culte de la souffrance. Il pense
que ce divin artisan a donné aux humanoïdes
assez de sources de joie pour que le vrai croyant
puisse y trouver des éléments d'offrande.

Patrick m'a longuement préparé à cette entrevue. Tout de même, je suis surpris agréablement. Pour un peu, j'aurais cru me trouver
en présence d'un petit monsieur pontifiant,

chauve et ventru, sinon le postulant cadavre
dont j'ai parlé.

Waïmirik écoute le récit de Patrick pendant
que son épouse nous sert une délicieuse collation.

Et je suis fraternellement convié à poser
des questions. J'avale ma salive, un peu timide
encore malgré tout, et j'entame :

— Suis-je vraiment réincarné ?

— Nous le sommes tous. Nous le serons encore. On ne retourne pas aussi aisément vers
l'Inconnu.

— Depuis combien de temps ?

— Le temps n'existe pas. Tout s'accomplit
en éternel, c'est-à-dire dans l'instant présent.

— Mais je ne suis pas l'éternel... Pardon :
l'Inconnu !

— Non. Mais tu es sa créature, semblable à
lui. Il me semble...

Il a un petit rire moqueur.

— ... Que les livres sacrés de ta planète... oui,
oui, j'en ai eu connaissance... assurent aux hommes « vous êtes des dieux ». Des dieux ne peuvent donc avoir ni commencement ni fin (1).

Je me dis que j'ai dû bien mal étudier mon
catéchisme et cet extraterrestre en sait plus
que moi. Je continue :

— Comment puis-je être devenu un Terrien
alors que, dans la nef immobile, Djeml et les
autres demeurent stagnants ?

---

(1) *Psaume 82. Jean X 35.*

— Si j'ai bien compris, tu es Paphlizz, le coupable, celui qui s'est bêtement vengé des dédains de Djeml en jetant la boussole dans l'espace. Il y a deux hypothèses : ou tu t'es jeté en même temps et c'est un suicide... ou tu as été frappé par l'Inconnu, condamné à te réincarner jusqu'à ce que tu puisses venir au secours de ceux que tu as condamnés à être figés hors temps, interdisant ainsi leur évolution normale...

A-t-il raison ? Je suis tenté de le croire.

— Ainsi donc, je suis puni...

— Non. L'Inconnu ne châtie pas gratuitement. Même s'il inflige le talion. Dis-toi qu'il corrige... Comprends-tu ?

Patrick estime qu'il faut me le traduire en franco-terrien pour que je saisisse bien la nuance. Un châtiment a souvent des allures de simple vengeance. Une correction donne au contraire un sens à une action rectificatrice. Etre corrigé, c'est être remis dans le droit chemin.

Pourtant, je veux en savoir davantage.

— Quand la boussole projette l'image de la nef, on me voit... enfin on voit le nommé Paphlizz auprès de Djeml. Djeml qu'il couve du regard. On voit aussi les autres cosmatelots. Mais je suis réincarné. Eux sans doute ne le sont pas...

— Cette vision te gêne ? Dis-toi qu'en fait ce n'est qu'une image. La boussole n'agit pas dans le temps mais elle est ausi inter-temps, c'est-à-dire dans la vérité de *l'instant. Cet instant qui est éternité*. On voit donc alors ce qui

a été et est encore, tandis que Paphlizz, suicidé
en se jetant à l'espace, était condamné à se
réincarner. On ne voit que des images, rien
d'autre.

Je reste bouche bée. Il me semble qu'en
y réfléchissant, je finirai par croire et surtout
comprendre tout ce que me dit ce sage, cet
adorateur de la joie de vivre.

Patrick, lui aussi, a besoin des conseils de
Waïmirik.

— Je suis chargé de retrouver, de délivrer
la nef. La découverte de mon ami terrien, ici
présent, favorise nos desseins. Toutefois, maître Waïmirik, je te précise que si nous avons
réussi à l'expédier jusqu'à ce point zéro du
temps, il en est revenu peut-être riche d'enseignement sur les modalités de ce qu'on peut
appeler une catastrophe, mais sans toutefois
nous apporter le moindre élément susceptible
de dénouer la situation. Djeml et ses cosmatelots sont toujours prisonniers de l'éternité...
Enfin, je veux dire de l'immobilisation dans
le temps.

— Et justement ajoute : hors de l'éternité.
Triste résultat du sabotage de cet imbécile de
Paphlizz !

En entendant ces paroles, je rougis, je pâlis.
Waïmirik me réconforte d'une formidable tape
sur l'épaule.

— Allons ! Tu es un autre, à présent. Si nous
connaissions comme toi tout ce que nous avons
commis de forfaits dans nos vies antérieures,
notre vie ne serait plus possible. Vis, vis bien.

Et cela ira mieux... Occupons-nous de délivrer les captifs, c'est plus important...

Il réfléchit un instant.

— Dis-moi... Tu as retrouvé la belle Djeml... Tu avais l'impression de l'aimer ?

— Oh ! oui !

— Mais... en silence ?

— Bien sûr !

Il se lève. L'entretien se termine.

— Rappelez-vous, tous deux, que la création s'accomplit à la voix de l'Inconnu !

Un temps. Patrick demande :

— Et quand l'Inconnu a-t-il créé le monde ? Waïmirik nous reconduit vers le fuscooter.

— L'Inconnu n'a pas créé le monde. Il le crée. La création est permanente, éternelle, comme Lui, comme nous, comme tout...

Nous revenons à la cité de Xamlis. Patrick me demande :

— Tes conclusions ?

— Ça me dépasse un peu ! Au fond, est-ce que notre visite aura servi à quelque chose ? Une belle philosophie, certes. Mais sur le plan pratique... ?

Moi, je reste perplexe. Mais je suis sûr que Patrick va faire son profit des paroles quelquefois sibyllines du sage et bon vivant Waïmirik.

Je ne vais pas tarder à m'en apercevoir.

XVII

Je regarde l'appareil. Les Xamlis font bien les choses et ils ont mis toutes les forces nécessaires à la disposition de Patrick, pour la seule raison qu'il est chargé de retrouver et de délivrer la nef immobile.

Fantastique, cette invention. Le fruit de la prodigieuse technique de ce monde étonnant. J'ai assisté, avant notre départ, à plusieurs expériences. C'est concluant. L'hoxmawa, ainsi se nomme-t-il ou à peu près, dans cette langue que je parviens si péniblement à assimiler, est capable d'absorber tout ce qui est bruit, vibration, percussion, le son sous tous ses aspects.

Moi, j'avais pensé que la visite au vieux philosophe était sans grande importance. Mais il paraît que ce n'était pas le cas et Patrick m'a assuré que, dans ses discours, il a surtout retenu une certaine phrase qui a achevé de le convaincre de ce qu'il devait faire pour en finir avec le vaisseau spatial figé dans le temps.

Comme toujours, depuis que j'ai quitté la tour des nuages, je ne sais comment je pourrais résister. Je suis emporté. Une seule fois, j'ai voulu me révolter, tenter une évasion à bord du navire xamlis, et le moins qu'on puisse dire est que cela a drôlement tourné.

Maintenant, je suis le mouvement, quel qu'il soit. Et puis, que ferais-je, à des milliers d'années-lumière de ma planète patrie ? Je suis un Xamlis et je n'espère plus redevenir un Terrien.

Une nouvelle expédition a été mise sur pied. Destination : 61 du Cygne.

Il s'agit de rejoindre l'étrange planète sur laquelle nous avons connu de si curieuses aventures. Mais, cette fois, Patrick et moi, nous serons seuls du voyage, avec un équipage neuf. Nora a un autre commandement. Ktis a regagné le monde des O. Quant à Waïla, elle a pris place dans le harem de Patrick et elle m'a avoué qu'elle ne s'y trouvait pas tellement mal. Rien n'interdit de penser qu'il reviendra avec une concubine supplémentaire. Une de plus, une de moins...

J'ai donc revu, après une interminable plongée subspatiale, le monde du Cygne.

L'étoile 61, du moins ainsi cataloguée depuis la Terre. On a recherché et assez aisément retrouvé ce soleil et, ensuite, la double étoile et la planète sur laquelle nous avions échoué après l'attaque des astronefs O,

Notre vaisseau est solidement équipé et, surtout, il transporte l'hoxmawa.

Un engin extravagant. Il ne faut pas moins de six hommes pour le déplacer, encore est-il monté sur un système de boules oscillant dans tous les azimuts, très pratique pour les évolutions.

A quoi ressemble-t-il ? Un amalgame complexe. Des antennes, des micros, mais surtout des platines subtiles, des bandes ultra-sensibles. Tout ce qu'il faut pour parvenir au plus haut degré de haute fidélité de l'enregistrement sonore.

Quand nous avons enfin survolé cette planète qui nous rappelle tant de souvenirs, Patrick m'a envoyé une bourrade joviale.

— Je te l'avais bien dit que nous reviendrions ici !

J'ai grogné :

— Ouais... Pour trouver la solution ! Permets-moi de te dire que nous n'avons rien trouvé du tout. La nef est toujours immobile. Avec Djeml. Et ses cosmatelots. Et ce Paphlizz dont je ne suis pas toujours convaincu d'être lui...

Il a ri de bon cœur.

— Eh bien ! réjouis-toi ! Tu vas la rejoindre bientôt, ta bien-aimée...

J'aurais pu faire de l'humour facile à la façon des Terriens et lui dire qu'après trois siècles, cet amour pouvait être quelque peu éventé, mais je m'en suis abstenu, ce qui valait sans doute mieux.

L'astronef survole la planète à basse altitude. Nous nous repérons d'après nos précédentes observations, Patrick et moi, demeurant en permanence dans la cabine de pilotage, près du commandant de bord et de son navigateur.

Nous avons cru distinguer le continent précédemment abordé, ses rives arides, ses montagnes désolées. Des taches colorées indiquaient sans doute les mystérieuses formations en forme de geysers tourbillonnants. A partir de cela, il y avait une mer à franchir. Notre vaisseau s'est donc élancé vers le large.

Des Dauphins Volants cabriolaient sur les vagues et nous leur avons adressé un salut plein de gratitude. Malheureusement, en approchant d'une côte, nous retrouvions sans plaisir des vols de rapaces. Du moins avions-nous la certitude d'avoir bien regagné le monde des êtres invisibles et sonores, auxquels Patrick prétend avoir affaire.

A moi de jouer, puisque j'ai été le premier à découvrir la cité en ruine. Il semble certain que l'humanité qui a construit tout cela a disparu depuis longtemps, décimée par des guerres, des épidémies ou, qui sait, s'envolant vers d'autres mondes dès la connaissance des communications spatiales.

Mais les ruines sont là. Je reconnais la contrée et le navire de l'espace ne tarde pas à se poser à proximité de ce qui fut une ville.

Nous foulons de nouveau ce sol qui nous a donné diverses émotions. Patrick ne se laisse pas aller aux nostalgies touristiques. Il a hâte

d'en venir à l'expérience pour laquelle il est
revenu de si loin. Il surveille le débarquement
et le transfert de l'hoxmawa.

Une demi-douzaine de vigoureux cosmatelots
amènent donc l'invraisemblable appareil dans
cet univers de ruines. Patrick, je le vois bien,
est tendu. Il guette et je sais ce qu'il guette :
une manifestation vibrante. Harmonieux ? Discordants ? D'après ce qu'il a bien voulu me
dire, les uns et les autres seraient les bienve-
nus.

— Guy... Tu nous diriges ?
— Les colonnes... Oui... Je les aperçois...
Attention ! C'est un vrai dédale et nous avons
intérêt à marquer des repères.

Ce qui se fait. Ainsi, nous retrouverons plus
aisément notre chemin, à moins que quelque
Harmonieux complaisant ne vienne à notre
aide, comme cela a été le cas pour moi. Et
j'amène petit à petit le pesant engin et ses
accompagnateurs jusqu'à ce qui fut la place
centrale, ou le temple, ou je ne sais quel péri-
style.

On dispose l'hoxmawa à peu près au centre.
Patrick va, vient, il est en proie à une fébrilité
que je ne lui connais guère. Il est persuadé
de toucher enfin au but. Je veux bien. Après
tout, il faut en finir et délivrer si possible
Djeml et les passagers de la nef bloquée dans
l'espace-temps.

Tout est enfin en place. Il ne reste plus qu'à
attendre. Encore que Patrick ait déclaré qu'au
besoin on provoquera les invisibles. Mais je me

dis qu'ils ne tarderont sûrement pas à se
manifester.

Et on attend. Trois jours et trois nuits. Des
jours et des nuits de durées diverses. Un
rythme très déroutant, mais il faut s'y faire.
Patrick et moi campons à peu près en permanence dans la cité ruinée. Naturellement, non
seulement il veille sur l'hoxmawa, mais il garde farouchement la boussole du temps avec lui.

Moi, je me dis, en soupirant parfois, que je
vais avoir droit une fois de plus à je ne sais
quelle lancée inter-temps et inter-espace. Et
comme à chaque reprise, je me demande où je
vais échouer et si, au lieu de rejoindre la nef
et cet amour de Djeml qui m'attend, je ne
finirai pas sur quelque monde inconnu, sans
que jamais Patrick puisse me ramener jusqu'à
lui, avec cette sacrée boussole !

Une journée encore. Je m'ennuye ferme et
lui s'énerve de plus en plus.

Pour dire quelque chose, je me risque à lui
demander :

— Quelle est la phrase du vieux Waïmirik
qui t'a mis sur la voie ?

Il plisse un peu la bouche.

— Comme d'habitude, tu n'as rien compris...
Tu n'es pas doué, mon pauvre Guy... Enfin, je
vais t'éclairer. Ne t'a-t-il pas demandé si tu
avais retrouvé et aimé Djeml en silence ?

— Oui. Quel rapport ?

— A ce moment, il a précisé, sans que cela
semble en rapport direct : la création s'accomplit à la voix de l'Inc...

Il n'achève pas.

Un vacarme fantastique s'abat sur nous. En un instant, la situation est intenable. Je les ai reconnus. Ce ne sont pas nos chers et tendres Harmonieux, mais les abominables Discordants. Ils sont venus en force, dirait-on, sans doute exaspérés par l'apparition de l'astronef, et aussi de cette machine venue se placer parmi ce qui est un de leurs lieux de prédilection, qu'ils disputent aux Harmonieux.

Je ne sais si en ce moment ils attaquent en même temps le vaisseau spatial, qui est assez loin de nous, mais dans la cité morte, c'est intenable.

Je ressens l'affreux malaise que je ne connais que trop. Je crois que le sang va me jaillir par le nez, les oreilles, les yeux. J'ai mal ! Je deviens enragé, fou !

Patrick est assailli, lui aussi, et tout comme moi il doit sentir son corps martyrisé intimement par les atroces vibrations qui déchirent le système nerveux, ébranlent le squelette à le briser, rongent la chair.

Mais, titubant, tombant, se relevant, meurtri, fracassé, pantelant, il réussit à atteindre l'hoxmawa.

Je vois ses mains maladroites, tremblantes, tordues de contractions quasi tétaniques, qui cherchent, palpent avec mille efforts les commandes.

Il me semble que l'hoxmawa est en marche.

Vrai ? Faux ? Qu'est-ce qui est vrai et qu'est-ce qui est faux ?

Qu'est-ce qui est ?

Je ne perçois plus rien. Plus les Discordants. Ni rien d'autre. Le silence. Un silence d'horreur, comme je n'en aurais jamais pu imaginer.

Patrick me regarde. Il a cessé de souffrir et moi aussi. Mais ce qui nous arrive est bien autre chose.

L'hoxmawa a absorbé, dévoré le peuple invisible et vibrant des Discordants.

Seulement Patrick l'a lancé, peut-être imprudemment, à la fréquence maximum.

Si bien que non seulement les Discordants, mais tout ce qui était vibration alentour a été également ingurgité dans un rayon qu'il nous est impossible de déterminer.

Plus rien. Il me semble, tout à coup, que je suis mort. Je vis dans le silence. Je suis silence. Patrick est silence et la nature est silence.

Pourtant, le décor n'a pas varié. La cité en ruine. L'engin extravagant planté là, au milieu des colonnes tronquées et lézardées...

Des oiseaux passent, mais aucun pépiement. Le vent ? Inexistant. Je marche et je ne fais aucun bruit. Puisqu'il n'y a plus rien qui percute, qui cogne, qui vibre.

Je fais des signes à Patrick et nous tentons de communiquer par gestes. Difficile quand on n'est pas entraîné. Il comprend toutefois que je tente de lui expliquer qu'il faut remettre l'hoxmawa sur une certaine fréquence pour nous rendre le sens de l'ouïe, ou tout au moins des sons pour que nous puissions les percevoir.

Mais il s'y oppose et je finis à mon tour par saisir : il a capturé la horde des Discordants et entend bien les garder captifs. Il en a besoin pour ses expériences.

Les heures qui suivent sont affolantes.

Les hommes du vaisseau spatial nous ont rejoints. Déphasés. Gesticulant, s'agitant, ouvrant dans le vide des bouches démesurées. Eux aussi ont été enrobés dans la zone de non vibration, si bien qu'ils se sont tous crus sourds. La panique les a saisis et Patrick, désespérant de se faire comprendre par signes, a dû écrire devant le commandant et ses hommes pour qu'ils aient un semblant d'explication. Mais je vois bien qu'ils sont peu convaincus. Où tout cela nous entraîne-t-il encore ?

Nous vivons dans le silence. Un commando s'éloigne, espérant retrouver un peu plus loin quelque son bienheureux. Rien. A croire que l'hoxmawa, dépassant toutes les espérances de ses constructeurs, a absorbé tout ce qui pouvait correspondre à une vibration « perceptible » sur la planète. Une étrange psychose se crée.

J'écris à Patrick (par gestes c'est impossible) que l'équipage va refuser de demeurer ici, qu'il faut en finir très vite.

Mais il ne veut pas libérer les Discordants. Mieux, il espère aussi s'emparer des Harmonieux. Je trouve qu'il exagère.

Il me fait un petit topo. Il a voulu exploiter les phénomènes sonores de 61 du Cygne. Seuls, sans doute, ils pouvaient aider la boussole à rejoindre la nef en permettant la libération.

Parce que, au-delà de l'image, de la belle image que j'ai moi-même atteinte une fois, il faut que la re-Création soit sonore. Comme le fut la Création.

Ainsi parla Waïmirik.

Nous vivons comme si nous participions à un film muet. Incroyable impression de l'homme asservi à l'absolu du silence. Plus un souffle, plus le moindre petit son. C'est le néant total. Nous nous évertuons les uns et les autres à parler, à tenter d'échanger des idées. En vain ! Je me surprends à essayer de m'égosiller, et je remarque que plusieurs hommes de l'astronef en font autant. Tout cela est parfaitement inutile : nous n'entendons plus rien.

Patrick a beau dire (si j'ose m'exprimer ainsi puisque tout se passe par échange d'écrits), on ne restera pas longtemps ainsi. Un jour, deux peut-être, et nos gars refuseront de demeurer ici. Ou ils iront à travers la planète à la recherche des sons et des vibrations, ou ils quitteront simplement ce monde affolant.

Parce que cela agit terriblement sur les nerfs. Etre plongé brusquement dans cette surdité majeure, cela fait mal, horriblement mal. Je vois, je perçois au toucher, au goût, à l'olfaction. Mais rigoureusement aucunement quant à l'ouïe. Et tous les autres sont dans mon cas et cela devient hallucinant.

Nous vivons comme des fantômes, allant de la ville morte à l'astronef qui n'est plus qu'un objet silencieux. Certains cherchent malgré tout à ébranler ce monde vibratile qui se refuse à nous. Ils crient, ils tapent, ils cognent sur n'importe quoi, ils font jouer les pistolets thermiques dont le sifflement de mort est cependant caractéristique. Et tout s'accomplit dans ce monde tellement ouaté qu'il en devient irréel.

Parfois, quelques cosmatelots s'énervent. On frôle l'hystérie. Patrick est soucieux et le commandant du vaisseau spatial ne l'est pas moins.

Que veut donc encore notre chef ? Il a daigné me l'écrire : accumuler une masse formidable de sons enregistrés pour appuyer mon propre départ pour la zone de non-temps où stagne la nef immobile.

Rejoindre Djeml... Djeml et ses beaux yeux gris... Mais tout cela n'est-il pas une immense fichaise ? Je ne sais plus ce qui est vrai et ce qui ne l'est pas !

Les cosmatelots chassent, pour passer le temps, pour trouver un exutoire. Ils traquent les petits mammifères et les oiseaux des forêts voisines. Nous avons remarqué, d'ailleurs, que ces bêtes semblaient déserter la région. Sans doute, devenant toutes sourdes elles-mêmes, désorientées, cherchent-elles des lieux plus normaux, ne comprenant pas ce terrible décalage.

Patrick, cependant, ne perd pas de temps. Je le vois, près de l'effrayant hoxmawa, en train de régler la boussole. Je me crispe. Moi, une fois encore, jusqu'à ce que j'y laisse ma vie, mon âme... Ces voyages intemporels sont

tellement aléatoires depuis nos premières ten-
tatives, que ma confiance est sérieusement
émoussée.

La science des Xamlis est formidable, j'en
conviens. Patrick veut juxtaposer l'action fantastique de la boussole capable de m'expédier
jusqu'à la nef, avec la libération d'un gigantesque potentiel sonore. Ce dont il dispose
puisque, d'après ce qu'il prétend, les Discordants sont en son pouvoir. Ce ne sont que des
entités sonores. Donc, en les enregistrant, on
les fait carrément prisonniers.

Et il veut y ajouter les Harmonieux, lesquels
se sont bien gardés jusqu'alors de se manifester. Non, c'en est trop !

Je lui écris ce que je pense. Irrité, il hausse
les épaules et jette mon message. Il est au-
dessus de ça. Rien ne compte que la réussite
de la mission dont il est comptable par-devers
le synode de Xamlis.

Il tripatouille je ne sais quoi dans l'hoxmawa.
Je fonce sur lui et je hurle (dans le néant, bien
sûr), que je refuse, que j'en ai assez, etc.

Il me repousse énergiquement. Je le gêne
pour ses calculs, sa mise au point.

Un rapace fond sur nous.

Nous ne nous y attendions pas et les volatiles
ont à peu près disparu. Celui-là, un isolé de
grande envergure, doit s'être égaré et s'affoler
du silence ambiant.

Il s'est jeté vers nous, ailes étendues, bec ouvert, serres en avant.

Instinctivement, oubliant notre amorce de

pugilat, nous faisons front l'un et l'autre. Nous ne sommes pas armés et l'oiseau prédateur est redoutable.

Un jet de feu l'atteint. Il a un soubresaut en plein vol. Il tombe dans un tourbillon de plumes.

Nous apercevons, parmi les ruines, un cosmatelot qui chasse. Il a vu la scène et vient d'abattre notre agresseur.

Mais nous n'aurons pas le temps de remercier ce sauveteur généreux.

Le rapace ensanglanté, mais vivant encore, est tombé juste sur l'hoxmawa. Patrick se précipite pour l'en arracher. Mais l'oiseau agonisant se cramponne à ce qu'il trouve, des manettes, des fils.

L'appareil se déclenche, libérant d'un coup le formidable enregistrement.

Le vacarme est tel que je crois, en retrouvant l'ouïe, la perdre définitivement. Pour sûr, nous allons tous en avoir les tympans éclatés sous la fantastique pression des vibrations.

Je me bouche puérilement les oreilles et je vois le cosmatelot chasseur qui a un semblable réflexe.

Mais je vois aussi Patrick.

Cela se passe très vite. Il a réagi devant cette précipitation des événements, la mort du rapace bouleversant ses plans. Du moins veut-il profiter du tintamarre, ce tintamarre qu'il escomptait bien utiliser.

J'ai vu la boussole entre ses mains. Braquée sur moi.

Je...

Je ne fais plus partie du monde du Cygne. Pendant un éclair, le plus bref, le plus extraordinairement rapide de tous les éclairs depuis le commencement des temps, je retrouve l'ineffable joie de me griser du regard gris de Djeml.

Rien qu'un éclair. Déjà, je me retrouve dans mon corps. Je suis **vivant. Intact.**

Dans ma chambre. Celle que je n'aurais jamais dû quitter. A la tour des nuages.

XVIII

Djeml passa une main fébrile sur son front. Le malaise persistait.

Elle avait encore en elle-même la vision tragique. Le drame s'était joué rapidement. L'amant fou, dans un geste désespéré, jetait dans l'espace l'appareil merveilleux sur lequel reposait à la fois le succès de l'expédition fantastique, et parallèlement le salut du vaisseau spatio-temporel.

Le malheureux Paphlizz, inconsolable de la froideur de Djeml, avait fini par ce fait monstrueux avant de se précipiter lui-même dans... on ne savait quel était ce qui entourait la nef, lancée hors temps.

Et puis il y avait ce trouble. Il semblait à Djeml qu'elle avait dormi, dormi.

Hokck vint vers elle. Hokck était son second dans le commandement de l'astronef du horstemps. Lui aussi semblait sombre, soucieux.

— Que se passe-t-il ?

— Utwi n'y comprend rien... Il a tenté le contact. Cela fonctionne mais les réponses de Xamlis sont bizarres. On dirait qu'il y a des expressions déformées, un langage difficilement saisissable...

Le capitaine se cabra.

— Enfin ! Qu'est-ce que cela signifie ? J'ai intimé à Utwi d'envoyer immédiatement un rapport sur notre situation.

— Il a obéi, capitaine. Mais le duplex s'avère embarrassé.

— J'y vais !

Elle se rendit immédiatement au poste radio du bord. Utwi, respectueusement, lui passa les écouteurs, sur son ordre impérieux. Au bout d'un moment, la responsable de l'expérience les lui rendit, sans un mot. Elle réfléchit un moment puis demanda :

— Utwi... Depuis le... le crime de Paphlizz, qu'as-tu ressenti ?

— Un grand trouble, capitaine. Et puis... c'est étrange... je pense que j'ai dormi.

Il se débattit soudain.

— Non ! Non ! capitaine ! Je suis sûr de ne pas m'être laissé aller au sommeil. Je suis à mon poste et je ne l'ai pas quitté. Mais je me sens tout drôle, comme si... comme si j'avais été drogué...

Djeml le remercia brièvement et retrouva Hokck.

Lui aussi reconnut qu'il avait perçu une sorte d'état second, très rapide, mais lui laissant une impression cauchemardesque. Sans doute, ajouta-t-il, demeurait-il perturbé par le forfait de Paphlizz, qui compromettait définitivement le voyage inter-temps.

Il suggéra un retour à Xamlis. C'était, pensait-il, la seule solution.

— J'ai déjà demandé des instructions à Xamlis dans ce sens. J'attends la réponse.

Elle vint bientôt, cette réponse. Encore que ce soit avec des tournures de phrases déroutantes, comme si de Xamlis on parlait un autre langage que celui connu habituellement par les passagers de la nef, on se disait d'accord pour un retour rapide du navire spatio-temporel.

Djeml interrogea les cosmatelots les uns après les autres. Elle obtint le récit de sensations identiques ou à peu près. Affolés par le désespoir de Paphlizz, épouvantés par son geste criminel puis par son suicide en plongée dans ce qui évoquait le néant, ils se demandaient les uns et les autres s'ils n'avaient pas dormi un court moment. Et puis, certains parlaient d'un choc violent, d'un tintamarre subit.

Djeml écoutait attentivement. Sommeil, choc bruit formidable. Oui, il lui paraissait, à elle aussi, que de telles impressions l'avaient visitée, après que Paphlizz eût mis un terme définitif à la lancée à travers l'espace-temps.

Pendant le voyage de retour, elle médita très longuement.

N'était-elle pas coupable ? Ne l'avait-elle pas poussé à cette démence ?

Elle était femme et un hommage viril ne pouvait la laisser totalement indifférente. Elle connaissait depuis longtemps la passion que nourrissait pour elle l'aspirant Paphlizz. Mais l'orgueilleuse s'était bien juré de demeurer intégralement dans son rôle de commandant d'une des plus extraordinaires expéditions jamais tentées par des humanoïdes.

Eu égard à sa haute compétence, à son courage, à sa sapience étendue, on lui avait confié le commandement de la lancée de ce navire destiné, grâce à cette boussole sans égale, à travers le cosmos, à visiter l'extratemps, à rechercher des contacts éventuels avec le passé comme avec le futur.

Elle avait donc voulu mépriser une passion qu'elle jugeait banale, triviale même, s'adressant à sa personne pour laquelle elle gardait une grande estime.

Sèchement, elle avait voulu mettre fin aux assiduités de Paphlizz. Ce qui avait tourné la tête au pauvre garçon. Et très mal fini pour la nef.

Cependant, le vaisseau progressait promptement et on retrouva le Poisson Austral, on regagna Xamlis.

Dès que les cosmonautes furent en vue du sol de leur planète patrie, ils éprouvèrent de singulières sensations.

Au fur et à mesure qu'ils approchaient de la cité capitale, de l'astroport où ils devaient relâcher, ils étaient totalement déroutés. Djeml,

Hokck et les autres observaient, soit à l'œil nu par hublots, soit sur les viseurs panoramiques, ce monde qui était le leur, du moins en principe.

— Sommes-nous vraiment à Xamlis ?

— Mais c'est fou... la forêt... là, en bordure de l'astroport... elle a disparu !

— Et des constructions ! Ces centrales ? D'où sortent-elles ?

— Là-bas... Des quartiers différents... Des tours géantes... Cela n'a pu croître en si peu de temps...

Si peu de temps... le leitmotiv revenait sur leurs lèvres à tous : « En si peu de temps... »

Il semblait que la ville, l'astroport, le paysage, la planète tout entière fussent autres que le monde d'où ils s'étaient envolés avant de tenter la plongée inter-temporelle.

Pourtant, Utwi, tant bien que mal, prenait les consignes émanant d'une tour de contrôle sans rapport avec celle qui avait guidé le départ. Stupéfaits, Djeml et ses hommes touchèrent enfin le sol, ouvrirent les sas, sortirent...

Une foule immense les attendait.

Des Xamlis, certes. Mais des Xamlis où ils ne reconnaissaient aucun visage. Vêtus selon une mode ignorée d'eux. Parlant un langage proche du leur, mais cependant assez différent.

Un groupe de dignitaires allait à leur rencontre. Et un grand gaillard barbu, haut personnage très certainement, vint à eux, salua Djeml, et parla.

Il parla longuement.

Et les voyageurs de l'inter-temps surent que leur nef avait été immobilisée. Et ce pendant trois siècles en durée de Xamlis, planète de dimensions très voisines de celle de la Terre.

Djeml, foudroyée, écoutait. Comme ses compagnons. Silencieux et abasourdis.

Celui qu'on nommait Patrick en langue terrienne expliqua minutieusement l'incroyable vérité. Et les Xamlis accueillirent, avec chaleur, avec une déférence extrême, ces coplanétriotes qui avaient connu leurs ancêtres, qui les avaient précédés de quelque trois cents rotations de leur monde planétaire autour de son soleil.

❖

On est bien gentil, pour moi, à la tour des nuages. Trop gentil, même.

Qu'est-ce que ça cache ?

Au départ, quand je me suis retrouvé ici, on m'a interrogé. Longuement, interminablement. J'ai bien compris qu'on me suspectait. Mes explications ne satisfaisaient ni le commandant, ni le commissaire de la tour, ni l'ingénieur Werner.

Il y a même eu des policiers qui sont venus en fusojet. Pour m'entendre. Me poser une foule de questions. Je crois qu'on me considé-

rait comme complice de ces extraterrestres qui
ont envahi le grand cockpit avec des légions
de fantômes.

Moi, je disais ce que je savais, ce qui s'était
passé. Et je voyais bien qu'on ne me croyait
pas.

Il y a aussi le cas de Waïla. Disparue, Waïla.
J'ai beau dire qu'elle a voulu rester sur la
planète Xamlis du Poisson Austral, comme la
Terre n'a aucune relation avec un monde aussi
éloigné, personne n'a pris cela au sérieux.

Si cela continue, on finira par m'accuser de
l'avoir assassinée. Ou d'être comparse d'un
réseau de traite des Blanches à destination
d'outre-Terre.

Des témoignages ? Je n'en ai aucun à fournir. Je comprends qu'on n'a guère digéré les
invraisemblables incidents qui ont marqué
mon départ. Quant à l'histoire de cette boussole qui vous expédie dans le futur ou le passé,
inutile d'insister. Werner m'a dit qu'il n'aimait
pas les histoires de science-fiction.

J'ai demandé à revoir Nathalie. Mais on
m'a fait répondre qu'elle était désireuse de
mettre un terme à nos relations. Et ma famille
semble également peu encline à me recevoir.

Le ton a changé. On est devenu tout miel
avec moi. Je suis consigné dans ma cabine.
J'attends. Je ne sais trop quoi.

Je regarde ces nuages qui flottent près de la
tour et, plus bas, ou vers l'horizon, l'océan
qui roule ses ondes d'un gris-vert.

Une idée se fait jour en moi. On me croit **fou.**

On pense, qu'une fois encore, le séjour à la tour des nuages a fait des siennes et que le pauvre Guy Mathias a besoin d'une bonne cure de désintoxication mentale.

Je suis mûr pour le cabanon.

Mon désespoir est grand. Ainsi donc, je suis revenu, sans rien y comprendre, sur la planète Terre, et je vais expier le crime de cet idiot de Paphlizz, crime commis il y a trois cents ans quelque part dans le hors-temps. Et je trouve que je n'y suis pour rien.

Et puis, il y a Djeml. Jamais je ne la reverrai.

Des heures passent. On va venir. On va m'emmener en fusojet. Et ce sera l'univers sinistre de la psychiatrie.

Patrick.

Il est là.

— Guy... Mon vieux Guy... Comment vas-tu ?

Il est là et c'est fou, si je puis dire.

Une grande claque sur l'épaule. Je le reconnais bien là. Mais je me demande si c'est vrai. Il se met à rire.

— Eh bien ! touche ! Palpe-moi ! Tu me prends pour un fantôme ?

— Toi ! Toi ! Mais je...

— Je viens te chercher... si toutefois tu veux bien revenir à Xamlis !

— A Xamlis ?

— Mais oui. Tu sais, je commence à me servir un peu mieux de la boussole. Regarde, la voilà !

Dieu du cosmos ! Il l'a entre les mains.

— Un déclic ! Et nous nous retrouvons là-bas !

Je tremble d'impatience, de curiosité. Je veux savoir.

Alors, il m'explique que la suprême tentative a réussi. Il avait déjà presenti la vérité mais la parole du vieux sage l'a totalement édifié. La nef stagnait dans l'immobile, le non-temps, l'incréé en quelque sorte. Pour animer cette image, l'arracher à ce néant, il ne fallait pas seulement lui réexpédier celui qui avait été Paphlizz, mais parallèlement faire renaître la vibration, cette vibration qui est l'élément fondamental cosmique. Et la vibration s'éveille à la voix créatrice, d'où l'indispensable apport d'un puissant potentiel sonore.

Les Discordants captifs, outre tous les bruits de la planète, libérés d'un seul coup alors que Patrick m'expédiait vers la nef, ont réussi ce fait qui n'a rien en réalité d'un miracle, mais qui est purement d'ordre physique.

Je balbutie, totalement assommé par la révélation :

— Mais alors... mais alors...

— Tu as contribué au salut. N'est-ce pas toi qui m'as signalé les colonnes de la ville morte, ces colonnes qui servaient d'antennes pour les manifestations des Harmonieux comme des **Discordants** ? Et puis, si tu étais Paphlizz, en tant que Guy Mathias, tu as bien travaillé pour sauver ceux de la nef immobile...

Moi, je suis mon idée :

— Mais alors... Djeml... ?

— Djeml est à Xamlis. Elle a retrouvé un Xamlis un peu différent que celui qu'elle avait quitté... Mais elle et les siens sont en train de se réadapter !

Je le regarde et je bégaye plus que jamais :

— Mais si... si je la revois... elle doit me haïr ! Pour elle, je suis ce misérable Paphlizz !

— Crois-tu qu'une femme haïsse tellement un homme qui a fait pour elle un geste aussi extravagant ? Et puis, elle te doit ce qu'aucune femme n'a jamais connu à travers l'univers : le fait de revivre dans son monde après un bond de trois siècles... dont elle ne s'est même pas aperçue !

— Et tu crois que... ?

Les yeux de sombre agathe lancent un éclair.

— Peut-être te pardonnera-t-elle. Peut-être t'a-t-elle déjà pardonné !

♣

Communiqué du commandant responsable de la tour des nuages. Ce 23 avril 2079.

Conformément aux instructions du commissaire Forestier, le fonctionnaire Guy Mathias, après interrogatoire, a été placé en résidence consignée dans sa cabine, à la disposition de MM. les docteurs Stratt et Philbert mandés en vue d'un examen psychiatrique réputé nécessaire en raison de son comportement bizarre, d'une absence incompréhensible et surtout de déclarations parfaitement extravagantes.

J'ai le regret de rendre compte aux autorités que la cabine du nommé Guy Mathias a été retrouvée vide. Le hublot donnant sur l'océan était ouvert. De l'avis des experts, le suicide ne fait aucun doute. J'insiste sur le fait que c'est la première fois qu'on déplore ce genre d'incident à la tour des nuages.

FIN

DÉJA PARUS DANS LA MÊME COLLECTION

VIENT DE PARAITRE :

Daniel Piret
LA MORT DES DIEUX

A PARAITRE :

Richard-Bessière
CETTE MACHINE INFERNALE

ACHEVÉ D'IMPRIMER
SUR LES PRESSES
DE L'IMPRIMERIE FOUCAULT
126, AVENUE DE FONTAINEBLEAU
94270 - LE KREMLIN-BICÊTRE

DÉPOT LÉGAL : 3e TRIMESTRE 1977

IMPRIMÉ EN FRANCE

PUBLICATION MENSUELLE